周易入門 150 問（下）

詹石窗　主編

周易入門

150問 下

中和出版
OPEN PAGE
中

出版說明

　　「國學」之名，始之清末。當時歐美學術進入中國，號為「新學」「西學」等，與之相對，人們便把中國固有的學問統稱為「舊學」「中學」或「國學」等。廣義上，中國古代和現代的文化和學術，包括中國古代的歷史、思想、哲學、地理、政治、經濟乃至書畫、音樂、易學、術數、醫學、星相、建築等都是國學所涉及的範疇。狹義的國學，指以先秦經典及諸子學為基礎並涵蓋後期各朝代的各類文化學術。

　　國學大師章太炎認為，提倡國學，「不是要人尊信孔教，只是要人愛惜我們漢種的歷史」，即其「語言文字」、「典章制度」與「人物事跡」。國學影響深遠，構成中華傳統文化的核心價值體系，對於我們處理人與人、人與社會、人與自然的關係，至今仍具有現實指導意義。

　　本公司計劃推出的「國學基礎」系列，精選國學領域諸名家的經典，尤其注重大眾普及，希望選出內容既精專實用，簡

明扼要，又通俗易懂，深入淺出，堪稱國學入門的必備讀本。本系列將首先出版語言學大師王力先生的《古代漢語常識》和易學名家詹石窗教授主編的《周易入門 150 問》兩種。

後續還將陸續推出其他有助於普及國學知識、弘揚傳統文化的特色之作，希望不僅可為專業的人員教授、學習國學提供參考，更為傳統文化愛好者、一般讀者了解和學習帶來方便。

香港中和出版有限公司編輯部

本書撰稿

主　　撰　詹石窗

各章執筆　（按姓氏音序排列）

　　　　　雷　寶　李育富　李玉田　連　宇

　　　　　連鎮標　曲　豐　宋野草　楊　燕

　　　　　陽志輝　詹石窗　周克浩

凡例

一、本書乃就上課過程中遇到的問題進行探索、歸納而成，屬小讀書會的問答記錄，其中所用言辭帶有課堂教學痕跡。雖名為「入門」，恐有所失。稍作整理，公諸於世，旨在交流，以求知《易》方家指正。

二、全書 150 問。導言「六問」，暗合《坤》卦「用六」之數；每章各「九問」，暗合《乾》卦「用九」之數。16 章之問凡144，合於「坤之策」。以「坤」為先，而「乾」隨之，戒己以明「天外有天」，取人之長，補己之短。

三、關於《周易》之「十翼」篇名，1949 年以來，學界多在每篇古名之後加一「傳」字，如《彖傳》《象傳》等等。但查《十三經注疏》，均未於篇名後加「傳」字。基於傳統，本書涉「十翼」篇名，僅作《彖》《象》《文言》《繫辭上》《繫辭下》《說卦》《序卦》《雜卦》。

四、關於《周易》六十四卦的符號使用，為了便於區別，

本書在吸納前賢成果基礎上進行統一處理:(1)凡引用卦爻辭,則該卦名加書名號,例如《乾》卦六五爻辭、《坎》卦卦辭。(2)凡三畫經卦(即八卦),或六畫別卦(即六十四卦),若僅作為卦爻之象介紹,不加書名號,也不加引號;有特殊強調的,則加引號,如「坎」卦、「兌」卦。

　　五、凡《周易》經傳引文,直接於行文中標明書名、卦名、篇名,例如《周易·繫辭上》、《周易·坤》之《象》等等。凡引述其他古籍,僅出書名與篇名,例如《大戴禮記·名堂》;若引書為新點校本,則注明原作者、整理點校者、書名、出版地、出版社、出版年、頁碼。

　　六、本書非一人手筆,所用文獻各自不同,同一文獻也有不同版本,理解各有差異,不求一律。

本書編寫組

2019 年 8 月

目 錄

下　編

易學致用

宇宙天地，有體有用。所謂「體」原指事物的本體，也稱作實體；而「用」則指作用、功用或用處。「體用」的概念，在先秦典籍中早已出現。《周易‧繫辭上》說：「故神無方而易無體。」意思是講，神的奧妙不拘泥於一方，而《周易》象數的變化也不固定於一體。否泰盈虛、屈伸進退，難以預料，這就是「神」；變化周流，這就是「易」。如果說，八卦所代表的基本象徵物「天地雷風水火山澤」這些東西是固定的，背後有個「道」，那個「道」可視為「體」，那麼八卦組合衍生所出的六十四卦，其所代表的事物則是千變萬化、無窮無盡的。把握這種「變」，是《周易》的核心精神。

既然其立足點在於「變」，研究易學推演的功用就是一個十分重要的問題。所以，《周易‧繫辭上》又說「顯諸仁，藏諸用」。甚麼東西「顯諸仁」呢？《繫辭上》略去不說，但聯繫上下文可知這就是「道體」。因此，這句話可以理解為「道體」看不見，卻能夠從諸多仁德中體現出來。至於「藏諸用」，其句法與「顯諸仁」是一樣的，也省略了「道體」這個主語。根據這樣的邏輯，「藏諸用」可以理解為「道體」蘊藏於平日所見諸多事物的功用之中。

正因為《周易》的「道體」需要通過「效用」「功能」來體現，諸子百家都以《周易》為基礎來建構理論體系，尤其是儒釋道三家更是如此。隨着時代的發展，易學向各個領域延伸，天文曆法等方技術數也都援《易》以為用。這些方面，即是本書下編所要側重介紹的。

第七章 易學與儒釋道三教

第一節 儒教對易學的傳承與貢獻

61. 如何理解儒家、儒學、儒教三個概念？

第一，儒家。公元前 771 年西周滅亡，中國進入了群雄紛爭的春秋戰國時期。時局的動盪和舊制度的瓦解促使人們更多地轉向對天下興亡的思考，「處士橫議」一時間風起雲湧。在對社會制度、人際關係和處事道理的廣泛探討中逐漸形成了諸多觀點不盡相同的學派。各學派的領袖人物針對一些社會問題或是四處遊說，推行自己的政治主張，或是著書立說，廣納門徒。這一時期人們的思想空前活躍，在中國文化史上形成了一個空前繁榮的百家爭鳴局面。最有影響的主要是儒家、墨家、道家和法家。我們通常所說的儒家就是指這一時期形成的以孔子、孟子和荀子為代表人物的學派。他們的代表作分別是《論語》《孟子》《荀子》。

儒家學派的興起，推源於堯舜而以孔子為肇端，到了戰國時期已經成為重要的學派之一，它以孔子為師，以六藝為法，崇尚「仁義」和「禮樂」，提倡「忠恕」和「中庸」之道，主張「德治」和「仁政」，重視道德倫理教育和人的自身修養。儒家非常強調教育的功能，認為重教化、輕刑罰是國家安定、人民富裕安定的必由之路；主張「有教無類」，認為對統治者和被統治者都應該進行教育，使全國上下都成為道德高尚的人。在政治上，主張以禮治國，以德服人，呼籲恢復「周禮」，認為「周禮」是實現理想政治的最佳選擇。到了戰國時期，儒家分為八派，重要的有孟子和荀子兩派。孟子的思想主要是「民貴君輕」，他提倡實行「仁政」，並提出了「性善論」，認為人性本善，為儒家道德修養奠立內在性的理論之基；與孟子不同的是荀子，他從社會現實與人的行為結果之關聯立意，提出了「性惡論」，認為人性本惡，須以「禮法」規約 —— 這種激烈的思想碰撞也折射出當時新舊制度交接之際的社會動盪。

第二，儒學。所謂「儒學」，就是儒家學派的思想文化學說。如果說「儒家」是從身份上認定的一個概念，那麼「儒學」則是從特定文化傳承角度認定的一個概念。

西漢武帝時期天下一統，國家強盛，為了進一步維護大一統的局面，亟待建立與之相適應的社會思想體系。而此時的董仲舒吸收了道家、法家等多家思想對傳統儒學進行了改造，把「君權神授」和大一統思想相融通，強調社會治理應以儒家思

想為根本，建議帝王「罷黜百家，獨尊儒術」。他的新儒學為漢武帝所採納，從此儒家思想逐漸成為封建社會佔統治地位的正統思想，研究「四書」「五經」的經學也就成了顯學。

漢朝以後，歷朝歷代都對「四書」「五經」進行了大量的闡釋和發揮，儒學也由此經歷了一個漫長的變遷過程。魏晉時期清談之風盛行，儒學逐漸演變成了玄學。唐代儒學雖然居正統地位，但是隨着佛教和道教的盛行，也逐漸融合了諸多佛道思想。到了宋代，儒學迎來了一個發展的高峰 —— 理學，其中以周敦頤、程顥、程頤建樹最高，而朱熹則是宋代理學的集大成者。北宋理學肇始於周敦頤，程顥、程頤曾師從於他，二人的著作被後人合編為《二程集》。他們把「理」視作哲學的最高範疇，認為理無所不在，不生不滅，不僅是世界的本原，也是社會生活的最高準則。在窮理方法上，程顥強調「正心誠意」，而程頤則強調「格物致知」。二程理學思想的出現，標誌着宋代理學思想體系的正式形成。到了南宋時期，朱熹繼承和發展了二程思想，建立了一個完整的理學思想體系。在人性論上，朱熹提出了「存天理，滅人慾」的思想，並深入闡釋這一觀點，使之更為系統化。程朱理學在南宋後期開始為官方所接受和推崇，經元到明清正式成為國家的統治思想，朱熹的理學成為科舉考試的考試題目，儒學作為官方主導思想體系的地位之牢固可見一斑。

第三，儒教。「儒教」一詞首先出現於《史記》，其《遊俠

列傳》謂:「魯人皆以儒教,而朱家用俠聞。」到了漢代末年,儒者蔡邕開始正式使用作為名詞的儒教:「太尉公承夙緒,世篤儒教,以《歐陽尚書》《京氏易》誨受四方。學者自遠而至,蓋逾三千。」但是儒教存在與否,素來是學界爭議頗大的一個問題。主張儒教存在的一方以任繼愈先生為代表,他們認為「儒教是教」的依據是儒家經典神聖化建立了儒教神學體系。神學化的儒家,把政治、哲學和倫理三者融為一體,形成了龐大的儒教體系,在意識形態中一直佔據着正統地位。儒教的來源,一是殷周時期的天命神學和祖宗崇拜的宗教思想,一是孔子創立的儒家學說。宋代創立的理學標誌着儒教的成熟。儒教崇奉的對象是「天地君親師」,有神靈系統和祭天、祀孔的儀式,經典是「六經」,中央的國學和地方的府、州、縣學就是儒教的宗教組織,學官就是儒教專職的「神職人員」;儒教不講出世,不相信鬼神的存在,奉行祖先崇拜。與此同時,把成賢成聖作為現實世界的最高理想追求;其教義就是宗法制度和宗法思想的神化和宗教化。而反對的一方則認為儒教是一種以政治學說為核心的教化而非宗教,並不具備宗教的屬性。

62. 漢代以來儒家易學最具代表性的十位傳人是誰?各有甚麼特點?

漢代以來,歷朝歷代都有諸多儒家學者對《易經》進行過

注解和闡釋，這也構成了獨具特色的儒家易學。其中最具代表性的十位傳人是：漢代的京房，三國的虞翻，魏晉的王弼，唐代的孔穎達、李鼎祚，宋代的程頤、朱熹、蔡元定、胡瑗，清代的李光地。

京房，本姓李，漢元帝時舉孝廉為郎、魏郡太守。京房治「易學」，師從梁人焦贛。焦贛善於把災異與政治相聯繫，而京房則創新性地把這種聯繫置於《易》學框架之內，開創了京氏易學，並試圖以此推行自己的政治主張。他獲得了漢元帝的信任，由此開啟了仕途生涯。

虞翻承襲了西漢易學傳統，他把象數作為主要工具，以八卦與天干、五行和方位相結合來詮釋《周易》經傳，將卦氣說引向卦變說，形成了一整套龐大而完備的以象解《易》的方法。虞翻易學將漢易引向了極其複雜的以象解易之路，也為「象數易派」奠定了堅實的基礎。

王弼是義理派《易》學大家。漢代象數學派興起，著名經學家京房、鄭玄、馬融、虞翻等創立了卦氣、納甲、爻辰等諸多學說，又引災異緯候解說《周易》，這使得《周易》本有的哲學思想被掩蓋而未能在預測中得到應有的發揮，《易》學發展走到了一個極端的狀態。王弼力排諸儒之議，將老莊思想引入了易學的詮釋領域，重倡義理之學，使《易》學研究風氣為之一變。王弼對象數派的穿鑿附會給予了徹底批判，也對孔子《易》學有所發展。

　　孔穎達著有《周易正義》一書，繼承和發展了王弼易學。他會通儒、玄，重視以義理解《易》。在《周易正義序》中，他指出，「易理備包有無，而易象唯在於有」。他以無為道，以有為器。他的易學思想採納了兩漢以來的象數易學思想，重新肯定了象數派思想的價值，表現出象數與義理兩者兼顧的特點。他主要依據《易傳》來對《周易》經傳進行解釋，這對後世產生了很大的影響，也成為宋代象數、義理呈現合流之勢的思想淵源。

　　李鼎祚所著的《周易集解》博採漢魏晉唐馬融、荀爽、虞翻、王肅、蜀才、崔憬等三十五家的易說，使瀕於失傳的漢代象數學及諸家易說得以保存至今，成為研究漢代易學的十分珍貴的資料。在《周易集解》中匯集了易學中象數派各家的注釋，其中引荀爽、虞翻、干寶等人的注釋最多；對王弼、何晏、韓康伯等義理派易學家的注釋也有所採，但總體上是採取排斥態度的。書中李鼎祚自己的注釋和評論甚少，所以《周易集解》可以看作李鼎祚為前人易學所做的一部合集。

　　程頤著有《伊川易傳》一書，這是一部義理派名著。他藉解釋《周易》卦辭爻象來闡明義理，並在《伊川易傳·序》中提出「體用一源，顯微無間」的理學命題。他認為無形的理寓於有形的象之中，理與象即是理與事的體用關係；易象反映天地萬物之物象，易理則概括了天地之理；理不僅是天地萬物的根本，更是社會等級、人生道德的由來。其學以人間世事為討

論的核心，堪稱《易》學史上的一次重大革新，被多數儒家學者視為《易》學之正宗。

朱熹著有《周易本義》一書，他認為《周易》是卜筮之書，作《周易本義》就是要還《周易》本來面目。1986 年 5 月上海古籍出版社出版的朱熹注本《周易本義》卷首有河圖圖、洛書圖、伏羲八卦次序圖、伏羲八卦方位圖、伏羲六十四卦次序圖、伏羲六十四卦方位圖、文王八卦次序圖、文王八卦方位圖、卦變圖等九個圖，與陳摶、邵雍象數學接近。易經是孔子哲學思想的來源，而朱熹注解的《周易本義》可以看作是對孔子哲學思想的一種別具一格的詮釋。

蔡元定的易學著作主要有《經世指要》《大衍詳說》等。其基本的觀點是，以「十」為河圖，以「九」為洛書，但兩者又相互表理，共此一易，認為伏羲據河圖而作《易》，出自天意。蔡元定易學成就的另一方面是對邵氏易學的研究。邵氏先天之學經過邵伯溫、王湜、張行成、祝泌等人解說而為眾人所知。蔡元定研究邵氏易學的一個重要成果就是他的《皇極經世指要》，該書以《易》解說邵氏之學，皆得其要，從某些方面而言已經遠遠超過了邵伯溫的注釋，故而成為學者學邵氏易必讀之書。

胡瑗著有《周易口義》一書，《四庫全書》本為十二卷。胡瑗易學以義理為宗，「象數殆於掃除略盡」。他繼承了王弼注重義理的學風，但排斥以老莊解《易》，通過解釋卦爻象和卦爻辭闡發儒理，提出「天地為乾坤之象，乾坤為天地之用」，

主張天道與人事的貫通。胡瑗不信漢唐注疏，自立新解，甚至大膽疑經改經，書中改經之處多達十餘處。胡瑗易學對後世影響很大，開宋代以來以義理說《易》的先河，尤為理學家所宗。

李光地曾為康熙校理編輯《御纂周易折中》(又稱《周易折中》)一書，該書以程頤《伊川易傳》、朱熹《周易本義》為主，吸收了多家的易學思想。他認為復、無妄、中孚、離四卦為聖賢心學，善用消息盈虛觀天道而修人事。他對宋易融會貫通，卓然成一家之說。

63. 儒家易學思想貢獻可以概括為哪幾個方面？對當今的人生修養有何啟迪？

儒家易學思想歷經千年的發展歷程，成為儒家思想的重要組成部分，也成為中國思想史上濃墨重彩的一筆，為中國思想史做出了重要貢獻。這主要表現在以下幾個方面：首先，孔子以「述而不作」的原則，撰寫了詮釋《易經》的初步文本，經過後人的整理與發揮而成為《易傳》，附於《易經》，成為後世諸家學者易學思想的淵源。第二，儒家易學思想把政治制度與《周易》聯繫起來，為政治制度的建立和穩定找到了思想依據。第三，儒家易學思想把社會倫理制度與《周易》結合起來，為社會倫理制度的創立和傳播提供了堅實的思想基礎。

縱觀儒家易學思想的貢獻可以看出，我們當代人首先要加

強文化學習，特別是對《周易》等經典古籍的學習，從中吸取其思想精髓，提高自己的文化修養。其次，我們在日常的文化學習中要注意融會貫通，能夠把書中的知識運用到自身的實踐中，從而不斷地提升自己的認知水平。最後，對於學到的知識要舉一反三，開動腦筋，有自己的理解和闡釋，進而不斷地提升自己的理論水平。

第二節　道教對易學的應用與創新

64. 甚麼是「道教」？道教怎樣應用和發揮易學智慧來構建其文化體系？

道教是以「道」為基本信仰，以羽化升仙為最高目標，且融合多種文化因素，具有複雜思想內容的華夏民族傳統宗教。[1] 關於道教的起源，學術界存在不同看法。中國道教協會前副會長陳蓮笙道長在《道教知識答問》一書中指出：一種意見認為道教由黃帝和老子創立，稱作「黃老道」，以黃帝道曆紀元元年作為計算道教創立的年份，故道教創立至今已有四千七百多年歷史；另一種意見則認為道教是東漢末年由張陵創立的，至今也有一千八百多年歷史。他雖然沒有對這兩種代表性意見的由來進行追溯，也沒有表示傾向性立場，但卻為

1　參看詹石窗：《易學與道教符號揭秘》，北京：中國書店，2001 年，第 3 頁。

我們認識道教的歷史與現實打開了一扇大門。

近年來，詹石窗綜合學術界的諸多研究成果，將道教分為三大形態：第一，原初道教，以黃帝為旗幟，肇端於將近五千年前；第二，古典道教，以老子《道德經》出現為標誌，形成於春秋戰國時期；第三，制度道教，以張道陵（原名張陵）創立正一盟威之道為標誌，形成於東漢末。三種形態，前後相續，逐步完善，展示了道教的歷史發展過程。值得注意的是，從東漢末以來，道教都是制度化的，故而一般來說，所謂道教實際上就是制度道教。

作為中國本土的傳統宗教，道教擁有一個龐大的文化體系，包括神仙信仰、方術儀式、倫理戒律等。為了構建自己的文化體系，道門中人必須要從傳統典籍中吸取營養，為文化體系確立牢固的理論基礎，《周易》作為中國傳統文化的根基就成了道門中人的首選。「道門中人不光是要對《周易》作出解釋，更重要的還在於把它作為一種基礎性的典籍應用到道教信仰理論體系的各方面去。只要打開道教經典，幾乎到處都可以看到易學應用的蛛絲馬跡。」[1] 實際上，易學「觀物取象」的方法、陰陽五行的原則、剛柔得中的理路、辯證分析的思維，已成為道教文化體系的構建基礎和貫穿始終的靈魂。

1　詹石窗：《易學與道教符號揭秘》，北京：中國書店，2001 年，第 11 頁。

65. 有人提出了「道教易學」概念，你認為成立嗎？如果成立，其證據何在？

「《道藏》中基本沒有完整的、專門通過對《周易》經、傳的直接注解來闡發道教信仰、教義思想的經文。儘管如此，道經中運用《周易》之理及其卦爻象來闡發道教的信仰和教義思想的情況卻不在少數，並因此而形成了道教義理學的重要一支 —— 道教易學。所謂道教易學，主要指的是道教中的易學，即以《周易》的卦爻象、卦數及歷代易學中圍繞着《周易》經、傳本身及對其闡釋中出現的種種概念、命題來對道教的信仰尤其是教義思想進行解說的一種學術形式。」[1] 應該說「道教易學」的概念還是可以成立的。從早期道教太平道的《太平經》、天師道的《老子想爾注》和金丹道教的《周易參同契》來看，這三部道教經典都與《周易》有着密不可分的聯繫。特別是《周易參同契》的橫空出世更是確立了道教易學的理論基礎。魏晉南北朝時期，道教易學更為重視對《周易》理論的實際運用，在這一時期的道書中出現了眾多關於八卦神、八卦壇場、道教八卦法器的記載。隋唐時期道教易學又開始重新關注《周易參同契》，道教各家紛紛以卦氣說、陰陽五行說、納甲之說等為基礎對《周易參同契》進行注釋。他們認為陰陽消息是天道和人倫共同遵循的規律，而這種規律就是由《周易》卦爻變化

1　章偉文：《道教易學綜論》，《中國哲學史》2004 年第 4 期。

體現出來的。「宋以後，易學內丹學、道教易圖學、道教易老
學成為道教易學發展的三種主要形式。易學內丹學主要是以
個體為本位，對天道之理進行切身之體悟，以求得個體與天道
相通、相融的具體方法和路徑；道教易圖學則主要以易圖的
形式對天道之理進行理論探討，以為道教內丹修煉提供理論
的指導；道教易老學則主要對上述這種人天之學進行理論的
綜合，以體用的方式貫通天與人、道體與器用，溝通形上與形
下，建構起以道教內丹煉養學為主旨的特殊的天人之學。三者
的側重點各不相同，但共同構成了宋以後道教易學的整體。」[1]

66. 道教對易學的創新表現在哪些方面？有甚麼特點？

首先，道教運用易學為道教理論體系的建立提供了基本的
思維模式。道教運用《周易》思想闡釋天道，運用《周易》的象
數、義理等形式來論道的屬性和道的特徵等，並為道教確立了
終極的宗教目標，即羽化升仙。其次，道教的方術活動豐富了
易學的象數語言。道教外丹家創新性地把《周易》的象數、義
理運用於道教經典的製作過程中，尤其是把八卦方位等運用於
修道煉丹的藥物、火候、鼎器等實際操作當中，使《周易》的
思想變得切實可行，而內丹家則運用《周易》的象數、義理、

1　章偉文：《道教易學綜論》，《中國哲學史》2004 年第 4 期。

體用、八卦方位等來闡釋內丹的修煉理論，這也是易學史上前
所未有的突破和創新。最後，道教把《周易》作為道教教義的
理論基礎，運用《周易》來闡釋人倫教化，闡述道教修行的層
次和路徑以及修道成仙、長生不老等問題，創新性地把《周易》
貫穿於道教教義的始終。

第三節　佛教對易學的應用與發揮

67. 二程認為：「看一部《華嚴經》，不如看一《艮》卦。」這種說法是不是表示佛教與易學沒有任何關係？該如何看待？

《華嚴經》全稱《大方廣佛華嚴經》，歷來被大乘佛教所推
崇，有「經中之王」之美譽。由於其中直接彰顯了佛陀廣博無
盡、圓融無礙的因行果德，加上「華嚴」是經中之海，無所不
攝，因此其所展現的境界更是巍巍壯觀，不可思議。它是佛陀
成道後在菩提場等處，藉普賢、文殊諸大菩薩顯示佛陀的因行
果德莊嚴，廣大圓滿、無盡無礙妙旨的要典。

此經漢譯本有三種：第一，東晉佛馱跋陀羅的譯本，題名
《大方廣佛華嚴經》，凡六十卷，為區別於後來的唐譯本，又稱
為「舊譯《華嚴》」，或稱為《六十華嚴》。第二，唐武周時實叉
難陀的譯本，亦題名《大方廣佛華嚴經》，凡八十卷，又稱為
「新譯《華嚴》」，或稱為《八十華嚴》。此譯本現流傳最為廣泛。

第三，唐貞元中般若的譯本，也題名《大方廣佛華嚴經》，凡四十卷，全名是《大方廣佛華嚴經入不思議解脫境界普賢行願品》，簡稱為《普賢行願品》，或稱為《四十華嚴》。

《華嚴經》是「釋迦牟尼成佛後宣講的第一部經典，它義理豐富、邏輯嚴密、準確無誤，用佛教的話說，便是『了義、圓融無礙』的經典。在《華嚴經》中，有一個妙喻貼切地表達了『圓融』的概念，這便是『帝釋天之網』。它取材於印度神話，說天神帝釋天宮殿裝飾的珠網上，綴聯着無數寶珠，每顆寶珠都映現出其他珠影。珠珠相含，影影相攝，重疊不盡，映現出無窮無盡的法界，呈現出圓融諧和的絢麗景觀。它直接導致了一個宗派的興起。唐朝時，對《華嚴經》的傳播和研究空前地興盛起來。從杜順和尚開始，『華嚴宗』開始倡導；而賢首大師，即法藏法師將其發揚光大，集『華嚴宗』之大成。從此，『華嚴宗』成為漢地八大宗派之一，綿延至今」[1]。

《艮》卦是《周易》第五十二卦，其卦象艮上艮下，艮為山，為止，艮者，止也。其爻辭為：「初六，艮其趾，無咎，利永貞；六二，艮其腓，不拯其隨，其心不快；九三，艮其限，列其夤，厲，薰心；六四，艮其身，無咎；六五，艮其輔，言有序，悔亡；上九，敦艮，吉。」《序卦傳》：「物不可以終動，

1　龍樹菩薩釋著，迦色編著：《圖解華嚴經》，西安：陝西師範大學出版社，2008年，第2頁。

止之，故受之以艮。」《象》：「兼山，艮。君子以思不出其位。兩山相並，故曰兼山。止莫如山，今相重，止義彌大。君子觀此象，故思安所止，不出其位。中庸所謂存誠慎思也。」艮卦卦德：情剛性剛，情止性止。

可以看出，《艮》卦之意應該理解為時動則動、時止則止、動靜結合、不失其宜。這與《華嚴經》的「圓融」思想頗為相似，可謂是異曲同工、殊途同歸。二程認為：「看一部《華嚴經》，不如看一《艮》卦。」[1] 正是此意。自佛教傳入中國，佛教就開始了與中國本土文化相互結合、相互影響的歷程。歷經千年，佛教與易學早已形成了易佛會通的局面。二程此語應理解為：第一，《華嚴經》與《艮》卦是「千江映一月」，《華嚴經》的圓融與《艮》卦的動靜結合思想在本質上是一致的。第二，《華嚴經》篇幅為八十卷，《艮》卦只有寥寥數語，對於學習者來說，《艮》卦可謂言簡意賅。第三，《華嚴經》是佛教經典，又為譯本，要讀懂此經必須具備一定的佛學素養；而《艮》卦是《周易》第五十二卦，《周易》是中國哲學思想的根基，不論儒道都對其進行過深入的研究和發揮，自然更加容易參悟和理解。

1　[宋] 程顥、程頤著，王孝魚點校：《二程集》上冊《遺書》卷六，北京：中華書局，2004年，第81頁。

68. 有學者提出「易佛會通」，你認為成立嗎？如果成立，其證據何在？

佛理圓覺，不可執着；易道廣大，感而能通。依文滯義，都非真理。如前所述，佛教自傳入中國伊始便開始步入與中國本土文化相互結合、相互影響的發展歷程，也正是在這樣的發展歷程中佛教逐漸地在中國落地生根，最終形成了中國化的佛教 —— 禪宗。《周易》作為中國思想文化的元典，佛教與之結合及相互影響也是必然之事。

魏晉南北朝時期，時人大量翻譯佛經，由此開啟佛教與中國本土文化全面地相互影響、彼此互通的歷史進程。「當時名僧，立身行世，與清談者酷肖，並同時精通內外典籍，於儒家之《易》及道家之『道』，常能信手拈來，同佛家之『般若』『涅槃』，互相發明，相得益彰。」[1] 此間以僧肇般若學和竺道生佛性論最為突出。到了隋代，中國佛教第一個宗派天台宗的創始人智顗在《四教義》中對南北朝各家佛教學說進行了總結概括，並一一進行了深刻的批判。在此基礎之上，他提出了新的佛教價值論 ——「一念無明法性心」，這也是中國佛教從般若學向涅槃學轉變的過程中逐步確立起來的新的價值觀 —— 涅槃佛性論。智顗在佛性論中充分肯定了易佛會通的意義，其主要著作有《法華玄義》《法華文句》《摩訶止觀》等。智顗的易佛關係論

1　王仲堯：《易學與佛教》，北京：中國書店，2001 年，第 2 頁。

觀點在當時頗具代表性，他總結了南北朝時期易佛關係的各種觀點，並且開啟了唐代宗派佛教對佛易關係新的認知時代。「智顗是中國佛教發展過程中，易佛相互結合影響的一個關節點，代表了易學與佛教結合於互相影響的第一個階段的終結和第二個階段的開始。」[1] 到了唐代，李通玄以《周易》解說華嚴學，在更高的層次上體現出了佛學與易學的會通。「李通玄揭示了佛教華嚴學的一個重要方面的內容，即表明華嚴學始終在中國固有思想文化的制約、誘導下發展演變。他的華嚴學從『趣入』、『剎那際三昧』角度，『以有明玄』，運用易學來溝通現實與理想，此岸與彼岸。」[2] 李通玄之後宗密創立的以易學「圓相」來解釋佛教教義的思想更是把易佛會通推上了一個更高的層次。

69. 歷史上有不少佛教高僧潛心研《易》，留下不少成果，能否試舉幾例略加述評？

　　蕅益智旭是明代四大高僧之一，中國淨土宗第九代祖師，著有《周易禪解》。在此書中，他在深明佛學、易學大義的基礎上，以「援禪以證易，誘儒以知禪」為目的，融合了易學與禪學的思想，運用了大量的佛教用語來解釋《周易》。他認為《周易》的基本概念是乾剛、坤柔，這與佛理思想是一致的。他用伏羲

1　王仲堯：《易學與佛教》，北京：中國書店，2001年，第3頁。

2　同上書，第5頁。

先天八卦方位圖式描繪佛境:「一念菩提心,能動無過生死大海,《震》之象也。三觀破惑無不變,《巽》之象也。慧火乾枯,業惑苦水,《離》之象也。法喜辯才,自利利他,《兌》之象也。法性理水,潤澤一切,《坎》之象也。首楞嚴三昧,究竟堅固,《艮》之象也。凡此,皆《乾》《坤》之妙用也。」[1] 此外,他還認為:「易理之鋪天匝地,不問粗精,不分貴賤,不論有情無情。禪門所謂:『青青翠竹,總是真如;鬱鬱黃花,無非般若』,正此謂也。」[2] 在蕅益智旭看來,佛法與易理不二,兩者殊途同歸。王仲堯先生認為:「智旭之《周易禪解》一書與前任的易佛互解之作的最大的不同之點,是將易學與佛學完全等同。在儒佛關係方面,他實際上比延壽和契嵩更大跨前一步;他不再區分儒佛二者。他的注意點,是如何使二者在同一的價值觀下會通。他的易佛互解,也既不同於李通玄的以易說佛,亦不同於曹洞宗的以易解禪。表面上他將《周易》經、傳之旨皆歸之佛陀教化,實際上他是將佛法乾脆歸為易理的本來內涵之中。」[3]

　　紫柏真可亦是明代四大高僧之一,他撰寫的《解易》作為易佛會通的重要著作流傳至今。紫柏真可非常強調變化的問題,他認為整個世界就是處在一個變動不居、生生不息的狀態之中,他說:「如伏羲未畫之先,豈無易哉?然非伏羲

1　謝金良:《〈周易禪解〉研究》,成都:巴蜀書社,2006 年,第 197 頁。

2　同上書,第 198－199 頁。

3　王仲堯:《易學與佛教》,北京:中國書店,2001 年,第 352 頁。

畫之，則天下不知也。予讀蘇長公《易解》，乃知六十四卦，三百八十四爻，雖性情有殊，而無常則一也。何者？《乾》若有常，則終為《乾》矣，《離》自何始？《坤》若有常，則終為《坤》矣，《坎》自何生？故《乾》《坤》皆無常，而《離》《坎》生焉。至於一卦生八卦，一爻生六十四爻，不本於無常，則其生也窮矣。此就遠取諸物而言也。」[1]他認為「易有理、事、性、情」，這也是世界變化的根本。「然易有理事焉，性情焉，卦爻焉，三者體同而名異，何哉？所在因時之稱謂異也。苟神而明之，理可以為事，事可以為理，則性與情，卦與爻，獨不可以相易乎哉？如易之數，爻情是也，如易之理，卦性是也。數明，則吉凶消長之機在我而不在造物也；理通，則卷萬而藏一，雖覓神之靈，陰陽之妙，亦莫（非）吾陶鑄也。」[2]王仲堯先生曾評價紫柏真可的《解易》：「他的『心統性情』、心應無累為理、情化為理的說法，與宋儒天理、人慾之辯如影隨形，幾乎如出一轍。無論是本體之心還是本有之自心，真可都把它作為本原，在此基礎上，他進一步強調：『佛法者，心學也』，『開明自心者，佛學也』，這種說法與此前的佛教宗派教理思想截然不同。這難道不是一種大創造嗎？」[3]

1　[明]紫柏真可：《紫柏老人集》卷二十二《解易》，《紫柏大師全集》，上海：上海古籍出版社，2013年。

2　同上。

3　王仲堯：《易學與佛教》，北京：中國書店，2001年，第350頁。

第八章　易學與天文曆算

第一節　易學的天學曆算底蘊

70.《易經》乾坤兩卦多言「龍」，這是甚麼「龍」？能否從天文曆算角度作出解釋？

星占，就是依據日月星辰的變化，對人事吉凶作出判斷和預測。《周易》卦爻辭中就保留有一些古代星占的內容。聞一多將乾解釋為「斡」，認為斡即北斗七星，而乾卦中的龍指的就是「龍星」，龍星在天、在田指的是不同季節龍星在天空中的不同位置。[1] 龍星右角是「天田」，所以「見龍在田」裡的「田」即「天田」，亦為一個星名；「見龍在田」，就是說「龍星」在這個「天田」裡。「見龍在田，利見大人」，意思是說，見到龍星在天田星附近出現，有利於拜訪有地位的貴人。龍係指東方七

<hr>

1　聞一多：《周易義證類纂》，《清華學報》第 13 卷第 2 期，1941 年 10 月。

宿；田為天田星。天田共有二星，為角屬。角星北面為天子籍田。角有二星，左為法官，右為將帥，一文一武。由「龍」現於「田」這一星象，得出「利見大人」的斷占結論。如《乾》卦，就是通過對龍星位置變化的觀察，來決策人們之行事。「潛龍勿用」，就是看到秋分的龍星時，勸人們不要有所舉動，耐心等待時機。

「六龍」可解釋如下：當蒼龍星位於太陽附近時，人看不到被太陽光芒遮住的蒼龍星，稱之為潛龍。之後，龍角與天田星同時出現在地平線上，稱之為「見龍在田」。再後來，蒼龍星全部出現，即「或躍在淵」；當蒼龍星宿升到最高點，橫跨南天，人們看到「飛龍在天」。之後，龍體開始下沉，即「亢龍有悔」。最後，蒼龍整體又落回地平線以下。而「群龍無首」不能解釋為這個天文週期的最後一部分。如果把簸箕放在外面，沒有簸箕的龍是內捲的，而在古文中，「群」「捲」兩個字恰恰通假。也就是說，這最後一句的意思是捲體的蒼龍從天上俯衝下來，頭已經落到地平線以下。由此可見，「龍」字本身就是一幅遠古時代的星象圖。中國古籍中最典型的以龍表示東方七宿的文字是《周易》。《周易·乾卦》云：

初九，潛龍，勿用；

九二，見龍在田，利見大人；

九三，君子終日乾乾，夕惕若厲，無咎；

九四，或躍在淵，無咎；

九五，飛龍在天，利見大人；

上九，亢龍，有悔；

用九，見群龍無首，吉。

對這一段文字的解釋歷來有很多種。聞一多認為，「《乾》卦六言龍，（內『九四，或躍在淵』，雖未明言龍，而實亦指龍。）亦皆謂龍星。《史記‧天官書》索隱引石氏曰：『左角為天田』，《封禪書》正義引《漢舊儀》曰：『龍星左角為天田』。九二『見龍在田』，田即天田也……《後漢書‧張衡傳》曰：『夫玄龍迎夏則凌雲而奮鱗，樂時也，涉冬則掘泥而潛蟠，避害也。』玄龍即蒼龍之星，迎夏奮鱗，涉冬潛蟠，正合龍星見藏之候……《象傳》曰：『時乘六龍以御天』，天言『御』者，天以斗為樞紐，而斗為帝車。『乘六龍以御天』猶乘六馬以御車耳。」[1] 此見解極為精闢。近年來，又有學者對這段文字進行了深入的探討。有研究者綜合夏含夷及陳久金等學者的觀點指出，《乾》卦中龍與星象的關係十分明了：「『初九』潛龍指冬天，蒼龍全體處於地平線下（中國天文神話謂地平線之下為淵）。九二爻『見龍在田，利見大人』，是蒼龍東升，角宿出現在東方地平線之上的情景。九三爻『君子終日乾乾，夕惕若厲，無咎』，

1　聞一多：《周易義證類纂》，《清華學報》第 13 卷第 2 期，1941 年 10 月。

指『蒼龍正處於從地平線處上升的階段』，『龍位即相當於君子之位』。九四爻『或躍在淵，無咎』，表現龍身『躍上天空』。九五爻『飛龍在天，利見大人』，指『初昏時蒼龍位於正南方』。上九爻『亢龍有悔』，表示『蒼龍升至高位之後，開始下行』。用九『見群龍無首，吉』，龍無首，指東方蒼龍七宿的『角宿』（代表龍頭）『隱沒不見，而蒼龍其他各個部分在初昏時仍呈現在西方地平線以上』……《乾》卦六爻正表現東方蒼龍從潛隱到出現、飛升、高亢，然後一步步伏沉，回歸潛淵的循環過程。」[1]

　　《周易‧乾卦》中的七爻雖都取象於龍星，但兆辭的凶吉卻是依神獸龍的生態特徵來判定的。比如，龍出現於田中、處在君位、從淵中躍起、在天上飛翔、捲起身體以至見不到頭（群龍無首），都是神獸龍的正常狀態，因而兆辭都呈現吉利，至少是沒有甚麼不好（無咎）；然而處於冬眠時的潛伏狀態（潛龍）或僵直着頸軀（亢龍），則屬龍的不利或非正常狀態，因而都預示着不吉。

　　《周易‧繫辭上》說：「易與天地準，故能彌綸天地之道。仰以觀於天文，俯以察於地理，是故知幽明之故。」意思是說，「易」可以彌綸天地之道，即於天地之道無所不包。就天象的

　　1　陳江風：《天文與人文 —— 獨異的華夏天文文化觀念》，北京：國際文化出版公司，1988 年，第 157—158 頁。

比擬來說，易道猶如眾星環北極而旋轉一樣，太極居中，八卦環外，旋轉不已，天地之道盡在其中。若從古代天文學的角度而論，太極即為北辰，名「太一」，亦謂北極。孔子在《論語・為政》中說：「為政以德，譬如北辰，居其所而眾星共之。」北辰為天地交運總匯之處，乃天體之總樞。北辰之稱為天樞，在後世書中多有類似記載，《後漢書》云：「故日天者北辰星，合元垂耀建帝形，運機授度張百精。」[1]《文獻通考》云：「北極五星在紫微宮中，一名天極，一名北辰。其紐星天之樞頁。天運無窮，三光迭耀，而極星不移。故日居其所而眾星共之。」[2]後世的易學家多以北辰為太極，喻為陰陽聚會之靈府、河洛內蘊之中心。北辰建極也說明「斗綱」與四時的關係，對天體中二十八宿的定位有很重要的意義。在先秦時就有這方面的記錄，如《鶡冠子・環流》的「斗柄東指，天下皆春；斗柄南指，天下皆夏；斗柄西指，天下皆秋；斗柄北指，天下皆冬」。此段關於天象的記敘，標識出北斗運轉與春夏秋冬四季循環之間的關係。雖然四時季節與太陽光照有關，但是北斗運轉起了導向標誌作用。組成北斗的有七顆星，其中，天樞、天旋、天璣、天權四星為魁，玉衡、開陽、搖光三星為柄，合稱北斗七星。

1　[南朝宋]范曄撰，[唐]李賢等注：《後漢書》志第十，北京：中華書局，1965 年，第 3213 頁。

2　[元]馬端臨：《文獻通考》卷二百七十八，北京：中華書局，1986 年，第 2205 頁。

根據功能，北斗七星又被稱為斗綱，其運轉標誌着四季變化，人們也據此為二十八星宿定位。從東宮蒼龍（角宿）為歲紀，至鶉鳥立中為春天，這種觀象授時的標準，顯然是古代曆法切合農事的優勢所在。易與天文曆法的契合，也是中國古代天文學的特色之一。

71.《周易·繫辭上》有「神無方而易無體」的說法，有人認為是一種迷信，有人說其中有古代天文學內涵，該如何理解？

對於「神無方而易無體」，《周易正義》注曰：「方、體者，皆繫於形器也，神則陰陽不測，易則唯變所適，不可以一方、一體明。」孔穎達疏曰：「神則寂然虛無，陰陽深遠，不可求難，是無一方可明也。易則隨物改變，應變而往，無一體可定也。」「云易則『唯變所適』者，既是變易，唯變之適，不有定往，何可有體，是『易無體』也。」[1] 方，古人亦稱「方所」，就是方位的意思，無方就是沒有具體的位置，無所在也就無所不在。「神無方」就是說，宇宙生命主宰的功能無所在，也無所不在。韓康伯注曰：「夫變化之道，不為而自然，故知變化者，

1　《十三經注疏》整理委員會整理，李學勤主編：《十三經注疏·周易正義》，北京：北京大學出版社，1999年，第268頁。

則知神之所為。」[1] 老子《道德經》第六十章也說：「以道蒞天下，其鬼不神。」這實際上是以自然之道消解了殷周以鬼神左右人事的迷信思想。韓康伯、孔穎達所領會的「易無體」，是因為時時變易而無「體」，不是以「無」為體，而是體之「無」。而《易傳》說「生生之謂易」，易是生生不息的，是剛健有為的創生。唯有「體」無，才有「生生不息」之大用，也就是說不能把事物的遷流不息、變動不居這樣的運動變化本身當作「無」。

此論明顯不同於赫拉克利特所說的「萬物皆流」「人不能兩次踏入同一條河流」；後者所言乃「純粹」的運動觀念，貌似關注流變，其實也就取消了運動本身。「神無方而易無體」，這裡的神不是作為偶像崇拜的神，而是中國文化的神，是「天人合一」的法則，也就是所謂的「道」。這裡所提出的「神」既是對於變化莫測的天地自然與社會人事內在規律的描述，更是主觀精神對於外部世界的自我體悟與參與，是主觀精神與客觀實在的統一。

72. 初學者讀到《周易‧繫辭上》「通乎晝夜之道而知」總覺得難解，如何通過「感而遂通」來領悟其中的大智慧？

《周易》把宇宙萬事萬物高度抽象概括為由陰陽兩種屬性

---

1 《十三經注疏》整理委員會整理，李學勤主編：《十三經注疏‧周易正義》，北京：北京大學出版社，1999 年，第 283 頁。

組成的八卦符號，而《周易》哲學的象徵理趣頗可觸類旁通。《周易·繫辭下》云：「仰則觀象於天，俯則觀法於地，觀鳥獸之文與地之宜，近取諸身，遠取諸物，於是始作八卦，以通神明之德，以類萬物之情。」這種抽象和概括，來自於古聖先賢的仰觀俯察，觀物而不滯於物，如此才能通達形而上神明的德性，類推形而下萬物的情理。《坤·文言》曰：「君子黃中通理，正位居體，美在其中而暢於四支，發於事業，美之至也。」君子只有守持中道，才能通達事物的道理。這也是「中庸之道」思想的根源。

　　《周易·繫辭上》云：「《易》無思也，無為也，寂然不動，感而遂通天下之故，非天下之至神，其孰能與於此！」這裡的「至神」，反映的是本體與認識合二為一的一種狀態，似乎既無所思，又無所為，實際是處於陰陽之間、動靜之間，含機待發，一旦靜極生動，陰陽交感，則天下萬事萬物之理無不暢曉通達。老子《道德經》關於「有」「無」關係有如是見解：「反者道之動，弱者道之用。天下萬物生於有，有生於無。」如果說這裡的無思無為是「無」，感而遂通是「有」，相對於老子「有生於無」的悟道哲思，那麼從「寂然不動」到「感而遂通」的過程就是一種由「無」到「有」致用的境界。

　　孔穎達在《周易正義》中解釋說：「易無思也，無為也」者，任運自然，不關心慮，是無思也；任運自動，不須營造，是無為也。「寂然不動，感而遂通天下之故」者，既無思無

為，故「寂然不動」。有感必應，萬事皆通，是「感而遂通天下之故」也。故謂事故，言通天下萬事也。「非天下之至神，其孰能與於此」者，言易理神功不測，非天下萬事之中，至極神妙，其孰能與於此也。此《經》明易理神妙不測，故云「非天下之至神」，若非天下之至神，誰能與於此也。[1] 孔穎達的解釋把老子《道德經》的自然哲學與《易經》的大道演化變通思想統合起來，讓我們看到了萬事萬物發生、發展的自然歷史過程。

不僅如此，《周易‧繫辭上》又云：「易與天地準，故能彌綸天地之道。仰以觀於天文，俯以察於地理，是故知幽明之故。原始反終，故知死生之說。」意思是說，《周易》所講的道理與天地齊等，所以囊括了天地的運行變化規律。那些善於觀天象、察地理者，就能夠知曉事物隱藏和顯現的原因。取法於天地，以易理探究事物發展的始末，不違背天地的法則，就能夠透徹明了死生的道理。

《周易‧繫辭上》又云：「夫《易》廣矣，大矣。以言乎遠則不御，以言乎邇則靜而正，以言乎天地之間則備矣。」這段話雖然不乏《易傳》作者的褒揚讚美之意，但不失為古人對《周易》哲學內涵的豐富性和廣博性的認識和理解。正如《周易‧

1 　[魏] 王弼、[晉] 韓康伯注，[唐] 孔穎達疏：《周易注疏》之《周易兼義》
　　卷七，清嘉慶二十年南昌府學重刊宋本《十三經注疏》本。

繫辭上》所說，「法象莫大乎天地，變通莫大乎四時，懸象著明莫大乎日月」，宇宙之間，可以效法的最大形象就是天地，而天地之道則需要「通乎晝夜之道而知」，「剛柔者，晝夜之象也」。由此則如《周易·繫辭上》所言：「引而伸之，觸類而長之，天下之能事畢矣。」《周易》就是以天地之道為準則，確立人生規範的。

第二節　易學對天文曆算的影響

73. 中國古代最有代表性的天體結構理論是甚麼？與易學有關係嗎？

蓋天說、渾天說和宣夜說，是我國古代關於宇宙結構學說的三個主要流派，合稱「論天三家」。據《晉書·天文志》記載，漢代已經形成了「一曰蓋天，二曰宣夜，三曰渾天」的所謂「論天三家」的天體結構學說。這三種宇宙結構理論後來都有人繼承和發展，但以渾天說影響最大，居於古代宇宙理論的主導地位。

蓋天說早在西周時就已提出，反映了古人的天圓地方思想。到了漢代，蓋天說又有進一步的發展。成書於西漢中期的《周髀算經》是這一學說的代表作，它對早期「天圓如張蓋，地方如棋局」的蓋天說加以改造，提出了「天象蓋笠，地法覆盤」等新的學說，意思是說天像斗笠蓋在上面，地像平整的盤子倒

扣在下。可見蓋天說在發展過程中也有不同的見解，如南北朝時祖暅《天文錄》所說：「蓋天之說，又有三體：一云天如車蓋，遊乎八極之中；一云天形如笠，中央高而四邊下；一云天如欹車蓋，南高北下。」[1]

渾天說起源於戰國時期，到了漢代有很大的發展。史籍所載明確的渾天說直到東漢張衡造渾天儀並作《渾天儀注》時才正式提出。東漢科學家張衡是渾天說的集大成者，唐《開元占經》卷一引《渾天儀注》曰：「渾天如雞子。天體圓如彈丸，地如雞子中黃，孤居於內，天大而地小。天表裡有水，天之包地，猶殼之裹黃。天地各乘氣而立，載水而浮。」渾天說是一種以地球為中心的宇宙結構理論。渾天說比蓋天說進了一步，認為全天日月五星附麗於「天球」上運行，地球如雞蛋黃一樣居於中央，這與現代天文學的天球概念十分接近。例如，對於恆星的昏旦中天、日月五星的順逆去留，都採用渾天說體系來描述，所以，渾天說不只是一種宇宙學說，而且是一種觀察天體運動的計算體系，類似現代的球面天文學。

與張衡同一時代的天文學家郗萌對宣夜說進行過表述。宣夜說否定了天殼的存在，以為天是無色無質的廣袤空間，天體並不受想像中的天殼的約束。作為中國古代的一種宇宙學說，宣夜說描繪的主要是宇宙的一種狀態，這種狀態演示了中

1　[宋] 李昉等：《太平御覽》卷二引，北京：中華書局，1960 年影印，第 9 頁。

國古代學者眼中的一種混沌的無限運動。

　　宣夜說較蓋天說和渾天說都更接近宇宙的本來面目。可是，這一學說只是停留在思辨性論述的水平上，並沒有對天地結構作定量化描述，所以嚴格地講還不能稱作一種宇宙學說，其影響遠不及渾天說。

　　《易傳》以天地之道為人類行為的準則，將天道和人道合而為一，對中國人的世界觀產生了深遠的影響。歷代易學家都對這種「天人合一」的世界觀有所闡發，認為人道本於天道，如人的聰明智慧和仁義道德源於陰陽二氣之精者。這種觀念成為儒家推行道德教化的經典依據之一。在《易傳》看來，人道雖效法天道，但不等於說人在自然面前無所作為，人應盡己之力，與天地相協調，並協助天地成就其化育萬物的功能，此即《易傳》所說「天地設位，聖人成能」。

74. 甚麼是「卦氣」說？甚麼是「六日七分」？這兩種理論是在甚麼背景下形成的？與易學關係如何？

　　「卦氣」說首見於《孟氏章句》，京房亦用之，其法唯《易緯稽覽圖》所載較詳。《新唐書・藝文志》稱：「孟喜章句十卷。」《新唐書・曆志》僧一行解釋「卦議」曰：「十二月卦出於孟氏章句，其說《易》本於氣，而後以人事明之。」「據孟氏冬至初《中孚》用事……消息一變，十有二變而歲復初，其《坎》《震》《離》《兌》二十四氣次主一爻，其初則二分二至也。」另

據《漢書．京房傳》，京房「事梁人焦延壽……其說長於災變，分六十四卦，更直日用事，以風、雨、寒、溫為候，各有占驗，房用之尤精」。孟康注曰：「分卦值日之法，一爻主一日，六十四卦分為三百六十日，餘四卦，震、離、兌、坎，為方伯監司之官。所以用震、離、兌、坎者，是二至二分用事之日，又是四時各專王之氣。各卦主時，其占法各以其日觀其善惡也。」[1]

「卦氣」說的要旨是以坎、震、離、兌四正卦主一年之冬、春、夏、秋四季，再以此四卦的二十四個卦爻分主一年二十四節氣：坎卦初六爻主「冬至」，九二爻主「小寒」，六三爻主「大寒」，六四爻主「立春」，九五爻主「雨水」，上六爻主「驚蟄」；震卦初九爻主「春分」，六二爻主「清明」，六三爻主「穀雨」，九四爻主「立夏」，六五爻主「小滿」，上六爻主「芒種」；離卦初九爻主「夏至」，六二爻主「小暑」，九三爻主「大暑」，九四爻主「立秋」，六五爻主「處暑」，上九爻主「白露」；兌卦初九爻主「秋分」，九三爻主「寒露」，六三爻主「霜降」，九四爻主「立冬」，九五爻主「小雪」，上六爻主「大雪」。每個節氣又分三候：「初候」「次候」「末候」。因每個節氣為十五天，故每候主五天。這樣，由二十四節氣又推衍出七十二候。再以六十四

1　[漢] 班固撰，[唐] 顏師古注：《漢書》卷七十五，北京：中華書局，1962年，第 3160 頁。

卦去掉四正卦所餘六十卦分主一年三百六十五又四分之一日，即三百六十五又四分之一除以六十，等於六又八十分之七日，亦即每卦主六又八十分之七日，此即古人談卦氣時所謂「六日七分」的來歷。

孟氏「卦氣」說作為一種占驗之術，本質上是通過把卦象與天文曆法相結合，以八卦配八風（八節），以坎、離、震、兌四正卦之二十四爻配二十四節氣，以十二消息卦，每卦六爻，凡七十二爻，配一年之七十二候，並試圖以此構造出一個「與天地合其德，與日月合其明，與四時合其序，與鬼神合其吉凶」的「天人合一」模型，藉以比附人事，由此形成所謂「卦氣」說。「卦氣」說是古人在觀察自然界四時變化的基礎之上，以節候的誤差引出災異的占驗。例如《易緯通卦驗》即以每日、每候卦氣的寒溫清濁來附會人事的善惡。除了以卦氣附會人事的吉凶，這些敘述中也包含了先民們長期積累下來的關於天氣、物候和天象等方面的知識。

《說卦》可以看作記錄了古人早期的「卦氣」之說。《說卦》稱：「帝出乎震，齊乎巽，相見乎離，致役乎坤，說言乎兌，戰乎乾，勞乎坎，成言乎艮。萬物出乎震，震東方也。齊乎巽，巽東南也。齊也者，言萬物之絜齊也。離也者，明也。萬物皆相見，南方之卦也。聖人南面而聽天下，向明而治，蓋取諸此也。坤也者，地也，萬物皆致養焉，故曰致役乎坤。兌，正秋也，萬物之所說也，故曰說言乎兌。戰乎乾，乾，西北之卦

也，言陰陽相薄也。坎者，水也，正北方之卦也，勞卦也，萬物之所歸也，故曰勞乎坎。艮，東北之卦也，萬物之所成終，而所成始也，故曰成言乎艮。」依京房八卦「卦氣」說，震卦「春分」時節萬物萌生，巽卦「立夏」時節萬物出齊，離卦「夏至」時節萬物盡現，坤卦「立秋」時節萬物得到大地的滋育而長成，兌卦「秋分」時節萬物豐收而欣欣向榮，乾卦「立冬」時節是陰陽二氣相搏而戰，坎卦「冬至」時節萬物歸藏，艮卦「立春」時節萬物終則有始，這樣才形成一個完整的循環。《繫辭》稱「寒往則暑來，暑往則寒來，寒暑相推而歲成焉」。《易傳》所作的義理闡發並非泛泛而談之空論，而是生發於象數基礎之上，其思維方式與《易經》「觀象繫辭」的特殊闡述方式一脈相承。

75. 漢唐之間幾乎所有天文曆算家、數學家都推崇易學，為甚麼？

西漢時代，易學家將易與曆法中的四時節氣聯繫起來，《周易》在曆法上被廣泛應用。西漢時代的著名易學家孟喜，創立了陰陽災變之說，而後世傳孟喜「卦氣」說。孟喜「卦氣」說大約於漢宣帝時行世，這時正是漢武改曆之後，朝廷頒行太初曆，其「卦氣」說受到太初曆的影響和啟發。歷代易學倡導的「天人合一」觀，將天道之必然和人道之當然統一起來，成為中國哲學有關天人之學的一大特色。漢唐之間的一些天文

曆算家如劉歆、僧一行等人都推崇易學，把易學作為解釋天地運行規律的說理依據。《易傳》提出了「順天應人」之說，如「火在天上，大有。君子以遏惡揚善，順天休命」「天地革而四時成，湯武革命，順乎天而應乎人」。君子要修治法則，明確時令，以便掌握時令季節變化的法則，適應時節以安排生產與生活。其基本要求在於：人的行為既要順應天道，又要盡乎人事，充分發揮人的能動因素。

第三節　易學與天文曆算結合的特點與作用

76. 邵雍《皇極經世書》是怎樣把易學與天文曆算相結合的？

《皇極經世書》六十四卷，為宋代邵雍所撰。根據《四庫全書總目提要》，邵子數學本於李挺之、穆修，而其源出於陳摶。當李挺之初見邵子於百泉，即授以義理性命之學。其作《皇極經世》，蓋出於物理之學，所謂「易外別傳」者是也。其書以元經會，以會經運，以運經世。起於帝堯甲辰，至後周顯德六年己未。凡興亡治亂之蹟，皆以卦象推之。朱子謂：「皇極是推步之書。」可謂能得其要領。又說：元會運世之分，無所依據。十二萬九千餘年之說，近於釋氏之劫數。水、火、土、石，本於釋氏之地、水、火、風。且五行何以去金去木？乾在《易》為天，而經世為日；兌在《易》為澤，而經世為月。以至離之

為星，震之為辰，坤之為水，艮之為火，坎之為土，巽之為石，其取象多不與《易》相同，俱難免於牽強不合。但邵子在當日，用以占驗，無不奇中，故歷代皆重其書。且其自述大旨，亦不專於象數。

77. 從古代天文曆算與易學的密切關係中可以發現甚麼思維方式？

西方天文學主張從主客觀分離的角度，冷靜「客觀地」觀測天體運動的軌跡，研究其運行變化之規律。中國古代天文曆算則是以人為天地宇宙的基點，將人作為天地間的有機組成部分；古人認為，天地的運轉、四時的更迭，周而復始，天、地、人是一個不可分割的完整系統，人生天地之間要順天應時，才能頤養天年。先民依照天文曆算來指導自己的日常生活，逐漸形成了順應自然、「天人合一」的思維方式，從天、地、人三者的關係中自然生發出宇宙是一個大系統的整體性思想觀念。這種「天人合一」的整體性思維方式深刻地影響了中醫等傳統醫學的基本理論。古人認為天人之間存在着相似的構造，也就是說天人之間有着同構性。如作為中醫理論圭臬的《黃帝內經》將人與宇宙自然看成一個相互感應、相互影響的大系統，認為「人體小宇宙，宇宙大人體」。《黃帝內經素問·上古天真論》稱：「上古之人，其知道者，法於陰陽，和於術數，食飲有節，起居有常，不妄作勞，故能形與神俱，而盡終其天

年，度百歲乃去。」這也就是著名的「人體小宇宙」的理論。這一理論後來被進一步發展，如漢代董仲舒提出了著名的「天符人數」「天人相應」等一系列「天人合一」的哲學命題。這種「天人合一」的思維模式，廣泛地影響了中國古代的哲學、醫學、天文學等領域，在《呂氏春秋》《淮南子》等書中，都可找到大量的例證。

78. 易學與天文曆算相結合的結果如何？如何評價其歷史作用？

中國古代天文作為一個獨立、完善、悠久的觀星系統，對中國文化的影響之深，不言而喻。《周易》和天文曆法存在着緊密的關聯，源遠而流長。《易》以道陰陽，而日月正是天地之間最具有代表特徵的陰陽之象，故有「日月為《易》」之說。在中國文化史上也先後出現了以《易》論曆和以曆論《易》的思想流派。南宋的丁易東在《易象義·易統論上》中總結了十二種論《易》流派，其中就把以曆論《易》單獨列為一派。他說：

> 以曆論《易》者，若京房卦氣，以《乾》初九為子月辟卦，以《坤》初六為午月辟卦是也。夫十二月卦，始《復》終《坤》，論其大體可也。至若始於《中孚》，而終於《頤》，每以六日七分應一候，僅合七日來復一語，而於他

卦無所發明。至一行之說，則又以起曆二始、二中、二
終之數，附會大衍，不但於易義無所取，於易數亦未嘗
合焉。

關於易學與天文曆法的關係在《周易》的《經》《傳》中就
已初現端倪。如《周易》卦爻辭中不但有很多對日月星辰等天
象的直接或間接描述，而且也多處用到了干支紀日，如《蠱》
卦辭有「先甲三日，後甲三日」，《巽》卦六五爻辭有「先庚三
日，後庚三日」等。《革・大象》明言「澤中有火，革；君子以
治曆明時」，更有《繫辭上》直接把易數與曆數糅在了一起：

大衍之數五十，其用四十有九。分而為二，以象兩；
掛一，以象三；揲之以四，以象四時；歸奇於扐，以象
閏；五歲再閏，故再扐而後掛。天數五，地數五，五位
相得，而各有合。天數二十有五，地數三十，凡天地之數
五十有五，此所以成變化而行鬼神也。乾之策二百一十
有六，坤之策百四十有四，凡三百有六十，當期之日。二
篇之策，萬有一千五百二十，當萬物之數也。是故四營而
成易，十有八變而成卦。八卦而小成。引而伸之，觸類而
長之，天下之能事畢矣。

清人皮錫瑞曾批判說：「六十四卦直日用事，何以震、離、

兌、坎四卦不在內，但主二至二分，乾坤為諸卦之宗，何以與諸卦並列，似未免削趾適履，強合牽附。」[1] 應該說，皮氏的批判還是切中要害的。如唐代的僧一行編制了一部曆法，命名為「大衍曆」。擅長數學的僧一行非常準確地推算出曆法編算所需要確定的年和月的天數。據考證，他是用了不等間距二次插值法的新的數學方法，才獲得這些科學數據的。這無疑是對數學和天文學的一大貢獻。但是，他卻機械地套用《易傳》的一些術語，如「五行」「揲四」「三才」「兩儀」「象」「爻」「生數」等，拼湊出一套與之相應的計算公式，通過牽強附會式的神秘解釋，將之納入「天人合一」的象數模式，而熄滅了數學發現的星星之火。

在古人看來，「天人合一」的「天」是有意志有情感的，並非現代科學研究對象的純粹客體；而且，天上的日月星辰，對人的吉凶禍福、命運都有影響。古人「推天道」的目的是「明人事」。《周易·象傳》言「觀乎天文，以察時變」，易學與天文學相互結合最終而形成的是星占學的體系，這一體系所特有的概念，如「三垣」「四象」「二十八宿」這些本身從天文發展而來，又與現代科學體系中天文學的內容相區別，對此而作出的那種牽強附會比附古代筮法的神秘解釋，即使能夠自圓其說、獨立發展，亦難免削足適履，與現代天文學的解釋相去甚

1　[清]皮錫瑞：《經學通論》，上海：中華書局，1954年，第20頁。

遠。「天人合一」思維方式的先進性、合理性因素，曾經使中國古代天文學、數學、醫學取得過輝煌的成就，但是這種「天人合一」思想影響下的哲學本體論傾向，沒有產生現代科學所需要的主客分離前提下的方法論，使得中國古代天文學、醫學等長期受控於這種帶有神秘色彩的思維模式，最終未能自覺走上現代科學理論發展完善的軌道。

第九章　易學與風水建築

第一節　風水文化的易學基礎

79. 有人說，看「風水」是迷信，對此該作何評價？

何謂風水？《葬書》(亦稱《葬經》) 云：「葬者，乘生氣也。」[1]「氣乘風則散，界水則止」，「古人聚之使不散，行之使有止，故謂之風水」。[2] 這是關於風水的一個明確界定，其中關於「生氣」的說法一直被後人所繼承和發揮。我們可以簡單地說，「風水」首先是一種客觀存在，無論「風」還是「水」都是自然存在的現象。其次，「風水」也是一種文化。從這個層面講，「風水」就是人與時空環境相互關聯、相互作用的學說，既有自然因素，也有主觀因素。從術數學的操作法度看，古代

1　[晉] 郭璞：《葬書》，《四庫術數類叢書》第 6 冊，上海：上海古籍出版社，1991 年，第 12 頁。

2　同上書，第 14 頁。

所謂「風水」分為陽宅風水和陰宅風水兩大系列。陽宅風水，指活人所居處的時空環境及其相互作用；陰宅風水，指墓地的時空環境及其作用。

在以往較長一個時期，「風水」一詞往往與「迷信」相提並論。這些年來，尤其是 2004 年「首屆中國建築風水文化與健康地產發展國際論壇」在人民大會堂開幕和國內首個「建築風水文化培訓班」的開辦，使風水是科學還是迷信的問題升溫。孰是孰非，眾說紛紜。對於這一爭論，其實不應帶着感情色彩去盲目辯解「風水是科學抑或是迷信」，只有深入分析問題產生的原因和風水的實質，才是作出公正客觀評價的基本前提。

風水被認為是迷信，很大程度上因其「玄乎」。一是風水作用的「玄乎」：關係人生安危、命運曲直、吉凶禍福、子嗣貴賤等。風水是否真有其用？這大概非一般人所能明晰解釋，故世人謂之「玄」。有的人崇拜，有的人鄙夷。二是風水術的「玄乎」：派系眾多，理論不一，魚龍混雜，又玄乎其玄，神秘不可窺視，讓人無所適從，由此而被譏為「迷信」。

批判風水的人和視風水為迷信的人，毫無疑問，是否定風水作用的。這種人的風水觀，與其說是不相信風水的作用，不如說是不理解或不相信風水的實質，不了解風水對人產生作用的思想根基和方式。

風水理論強調人所處的時空及其對人的作用的觀點，顯然是看到了人是自然界和人類社會的一個有機組成部分，必然

受到外在事物的影響。風水強調人與自然、人與社會的和諧相處，體現了「天人合一」的思想理論。其基本的價值取向，還是關注外在時空屬性對人的吉凶影響。因而，就風水理論這一根本的「天人合一」思想而言，應無可厚非。但風水何以會影響甚至決定我們的富貴貧賤呢？這讓有些人不理解。這種不理解，實際上是不了解風水的作用方式。風水對人產生作用的方式，不是雜亂無章的，而是依據一定的原理和基本原則，是由注重「天人合一」的宇宙規律表現形式諸如陰陽五行生剋關係模式推演而出的。換句話說，風水作用的實質就在於人天關係。基於這種關係，易學風水理論將人與外在時空視為一個整體，通過陰陽五行八卦等類分法將人和時空對應起來，再根據人和時空的陰陽五行八卦作用關係，利用類推思維模式，來分析人在某個時空中的狀況及其吉凶。視風水為迷信者，顯然會質疑這種類推模式是否經得起科學檢驗。的確，這種類推模式並不完全遵循自然科學中的邏輯關係，因而從科學的角度看可能難以理解。但我們絕不能因為其不符合實驗科學邏輯而譏其為迷信。其實，將「非科學」等同於迷信，這本身也不合邏輯。當然，有的人還會問，即使風水經得起檢驗，那麼人在時空環境中只有屈服的份兒嗎？是人定勝天還是天定勝人？是力勝命還是命定力？這無疑是視風水為迷信者的終極質疑。關於人力與外在時空環境，在筆者看來，二者是非一不二的關係，是一個事物的兩面，不存在誰決定誰的問題。即使是天勝

人，也只能說明我們人力的無能無助，因為易學風水理論絕不是講這種相勝是由於某種外在神靈的主宰，進而我們也不應因不明所以而譏之為迷信。從這些方面來說，古人關於風水的理論還是有一定合理性的，簡單地以迷信來概括風水，是不貼切的。

認為風水是迷信的人，還有一個特別重要的誤解，就是錯誤地將風水等同於風水術。風水術，是以人及其住所為中心，考察人與自然、社會環境以及天時的關係，並做出趨吉避凶行為的一種術數，即利用和操縱風水的術數，又稱堪輿術、相地術、青烏、青囊術等。風水術根源於人們選擇居住地的活動和經驗，以及對宇宙自然規律的認識和利用。但由於人們的認識能力、知識構成、認識視野及認識經驗不一樣，風水術作為術者操控風水的理論，也就帶有強烈的主觀色彩。加上風水術往往秘而不宣，其理論也見仁見智，難以統一，其中魚龍混雜、良莠不分，難免出現欺世誑人現象，成為騙人的工具。對於風水是否起作用、如何起作用的解釋，更是莫衷一是，既無當代實驗科學依據，又神乎其神，因而被視為迷信也在所難免。當然，並不是所有的風水術都與迷信有關，有些風水術確實能夠把握住風水的實質，依據人天關係的作用方式改善人居環境，對人類不無益處。因此，對於風水術而言，一言蔽之以「迷信」，也是不貼切的。將某些風水術的迷信成分等同於風水迷信，也是不明事理的做法。總之，只有深入了解風水及風水

術的實質，才能比較客觀地評價其是否為迷信，忽視這一點，也就成獨斷論了。

80. 歷史上主要有哪些風水流派？它們與易學有何關係？

所謂「風水流派」，指的是「風水術數」流派或者「風水學」流派，總的來說有兩大宗派：形勢宗和理氣宗。形勢宗偏重地形地勢，以「龍穴砂水向」來論吉凶，主要崛起於江西，又稱江西派，代表人物為楊筠松。形勢宗又可分為：巒頭派、形象派、形法派。巒頭派側重龍、穴、砂、水等山川形勢。形象派將山川形象地擬成某種東西，根據該物的屬性來判定陰陽宅的歸屬及其與龍砂水的關係。如某山巒似坐佛，於坐佛肚臍處下穴，其他如美女梳妝、嫦娥奔月等，不勝枚舉。形法派依據形象與穴場的某種固定關係或規律來安排風水。

理氣宗以陰陽、五行、八卦、卦氣、干支、河圖、洛書、時運等理論為立論要素，來論述二十四山風水。民間俗語有云「巒頭無假，理氣無真」，說的就是風水理論中巒頭理論較為統一明了，而理氣理論紛雜難明。理氣宗派別繁多，歸納起來大致有三類：干支派、易卦派、天星派。每派下又分許多小門派。

第一，干支派。干支派包括三合派和命理派。

（1）三合派中「三合」有多種含義。一指龍、水、向三者相合，「龍合水，水合向」。二指二十四山各分三合：申子辰

三合水局，坤壬乙同；寅午戌三合火局，艮丙辛同；巳酉丑三合金局，巽兌癸同；亥卯未三合木局，乾甲丁同。該派核心理論在於三合五行長生十二宮，主要原理就是利用干支三合五行的長生、沐浴、冠帶、臨官、帝旺、衰、病、死、墓、絕來論二十四山的龍水向的關係。三合派中又有多種小派，如楊公古法三合派、賴氏三合派、正五行三合風水派、向起長生三合派等，其區別主要在起長生法的不同。

楊公古法三合派，以七十二龍五行起長生、沐浴、冠帶、臨官、帝旺、衰、病、死、墓、絕、胎、養，強調龍、水來自生旺方，去水流歸墓庫方，要求龍水交媾，龍、水、向三合。

賴氏三合派，由宋代賴布衣發明，特重人盤消砂。

正五行三合風水派，由徐善繼《地理人子須知》和徐世顔《地理要義》所倡導，強調立足水口，結合龍脈和水脈的左旋或右旋來辨三合五行四大局，以四大局來考察龍水生旺。

向起長生三合派，根據向上某字屬於某三合五行而論四大局，以排龍、水、向的生旺配合。王徹瑩的《地理直指原真》、趙九峰的《地理五訣》以及葉九升的《地理指南》為其代表作。

（2）命理派根據宅主八字的陰陽五行喜忌，配合二十四山方位及事物屬性來論吉凶和作出調理。此派民國以來方始興盛。

第二，易卦派。易卦派是以八卦或六十四卦為載體的風水理論。其中包括八宅派、淨陰淨陽派、玄空大卦派、玄空

六十四小卦派、龍門八局等。

（1）八宅派，主要運用於陽宅風水。此派將男女年命或陽宅分成東、西兩組，震巽坎離為東四宅（命），乾坤艮兌為西四宅（命），主張東西宅不能相混，東四宅命人宜住東四宅，西四宅命人宜住西四宅，並將人命或座山配遊星論吉凶。有伏位、天醫、生氣、延年四吉星和五鬼、絕命、禍害、六煞四凶星，根據宅卦或人的命卦起伏位，排出四吉星和四凶星，再與宮位相較。此派又分兩種：一種是《八宅明鏡》強調的以人命為主，起遊星論吉凶和選擇或東或西四宅；一種是《陽宅三要》強調的主、門、灶的東西四宮配合。

（2）淨陰淨陽派，又稱納甲派、翻卦派。將二十四山納入先天八卦中，乾納甲，坤納乙，艮納丙，巽納辛，離納壬、寅、午、戌，坎納癸、申、子、辰，震納庚、亥、卯、未，兌納丁、巳、酉、丑。乾坤離坎為陽，震兌艮巽為陰。按先天八卦之陰陽論吉凶，主張向與水陰陽不混為吉，陰陽相混為凶。此派又使用九星翻卦法，八卦翻出九星，即以向上卦為輔弼，從中爻變起，依次下、中、上、中、下、中變化，排出九星武曲、破軍、廉貞、貪狼、巨門、祿存、文曲，其中輔弼、武曲、貪狼、巨門為吉水，破軍、廉貞、祿存、文曲為凶水。該派以宋代靜道和尚的《入地眼全書》為代表。

（3）玄空大卦派，將二十四山分成父母三般卦，將二十四山所括的六十四卦分為江東卦、江西卦和南北卦三般卦，根據

父母三般卦和東西南北三般卦的卦卦關係和卦運來安排風水。明末的孫長庚和清代的張心言為其代表人物。

（4）玄空六十四小卦派，將二十四山分成先天六十卦（乾坤坎離四卦不用），依據六十卦之間關係及卦時氣進行抽爻換象以安排風水。玄空六法，即玄空、雌雄、金龍、挨星、城門、太歲六法，是根據二十四山內在的先天八卦抽爻換象而形成的六法理論。民國談養吾為其代表人物。

（5）龍門八局，根據二十四山的先、後天八卦之間的溝通來消砂納水立向。

第三，天星派。天星派指根據星宿或星運來佈置的風水理論，主要包括星宿派、玄空飛星派等。

（1）星宿派，利用天上二十八宿的五行來論二十四山各方位的五行屬性，以坐向星宿五行為主，考察周邊龍、砂巒頭的星宿五行與其生剋關係以論吉凶。

（2）玄空飛星派，清代興起，以蔣大鴻、章仲山、沈竹礽為代表。其法主要有三：一是排龍立穴，二是飛星佈盤，三是收山出煞。飛星佈盤及風水論斷是其重中之重。飛星佈盤，先佈三元九運，將當旺元運之數入中宮，分山、向兩盤，依陰陽順逆飛排洛書九宮，以坐山和向首所飛臨之星為重點，辨其生旺或衰死，察其宮星組合，再配合巒頭形勢以論吉凶。

以上為當今風水術界主要風水流派的大致分類，此分法並不是絕對的，各派之間常有互通，並非涇渭分明。比如淨陰

淨陽派，既用八卦，又用天星；玄空大卦派、玄空六十四小卦派等亦運用天星，玄空飛星亦運用八卦等。另外，除以上各派外，尚有一些小門派也各成一家，如五行派、金鎖玉關派、奇門派、紫微數派等。

風水術各宗派中，理氣宗、形勢宗都與易學有着莫大的關係。理氣宗中，玄空大卦派和八卦派乃以八卦或六十四卦為載體來辨析陰陽宅的八卦象形、卦氣、卦運等，以此來辨別吉凶，其整個理論的中心即是八卦或六十四卦。其他理氣宗派別，如天星派、干支派等，無一例外地注重陰陽之氣及陰陽屬性，其核心概念亦是陰陽，所運用者依然不出五行之外。形勢宗似乎與易學沒有關聯，但我們仔細考察就會發現，其各派依然暗含陰陽五行生剋屬性的運用，講究天地人三才之道的會通。當然，並不是風水各派的所有內容都全然體現易學，其實很多派別所運用的東西是易學原本所無或並不專有的，比如三合派和命理派以干支為載體，干支即非易學專有內容。不過，總的來說，若是離了易學陰陽五行，各派也就無法成其為風水派別了。

81. 現存最具代表性的風水著作有哪些？從中可以讀出甚麼易學內容？

風水流派不一，奉行的經典也不統一。縱觀中國風水發展歷史，各宗派都湧現出了一些頗具代表性的風水著作。

形勢宗的代表性著作：

(1)《葬書》(據《宋志》本名《葬書》，後來術家尊其說者改名《葬經》)。舊題東晉郭璞撰，收錄於《四庫全書》。此書主旨在於強調「葬乘生氣」，提出「風水之法，得水為上，藏風次之」。

(2)《撼龍經》一卷、《疑龍經》一卷、《葬法倒杖》一卷(通行本)。此三卷舊題楊筠松著，收錄於《四庫全書》。《撼龍經》論述山龍脈絡形勢，分貪狼、巨門、祿存、文曲、廉貞、武曲、破軍、左輔、右弼九星，各為之說。《疑龍經》辨別龍與穴之真假。《葬法倒杖》論倚、蓋、撞、黏諸占穴之法，順杖、逆杖、縮杖、離杖、沒杖、穿杖、斗杖、截杖、對杖、綴杖和犯杖等倒杖十二條，另附二十四砂葬法。

此外，《靈城精義》《發微論》《玉髓真經》《地理天機會元》《雪心賦》《地理人子須知》等也是形勢宗重要著作。

理氣宗的代表性著作：

(1)《宅經》。舊題《黃帝宅經》，收錄於《四庫全書》。其法乃將宅分十天干十二地支乾艮坤巽共二十四路，考尋陰陽休咎，辨析移宅吉凶，描述修宅次第之法及宜忌。

(2)《八宅明鏡》。清箬冠道人著。以八卦統領二十四山，分東、西宅命，以乾坤艮兌為西四宅，坎離震巽為東四宅，將人命福元亦分為東、西四命，講究命、宅、門、灶的配合，強調東西宅不能相混。為八宅派所奉行。

（3）《地理五訣》。以干支三合五行的長生、沐浴、冠帶、臨官、帝旺、衰、病、死、墓、絕來論二十四山的龍砂穴水向的關係。為三合派所奉行。

（4）《催官篇》。宋賴文俊撰。分龍、穴、砂、水四篇，運用天星屬性和天星分佈，說明山川走勢吉凶。為三合派、天星派所奉行。

（5）《青囊經》三卷。舊題黃石公著。闡述天地形氣推原入用之道。

（6）《青囊奧語》一卷。舊題唐楊筠松撰。闡述二十四山挨星之法。

（7）《青囊序》一卷。舊題筠松弟子曾文辿所作。主要描述二十四山陰陽五行配合之理以及分房論斷。

（8）《天玉經內傳》三卷、《外編》一卷（通行本）。舊題唐楊筠松撰。講述江東、江西、南北三般卦和二十四山父母三般卦的配合奧蘊。

（9）《都天寶照經》。闡述巒形、理氣、水法、向首、挨星配合法度。

《青囊經》《青囊奧語》《青囊序》《天玉經》《都天寶照經》，合稱「五經理氣」，為理氣宗最重要的經典。

這些經典，詮釋了風水的作用原理和方法，而其詮釋路徑基本是通過易學來展開的，從中可看到易學陰陽、五行、八卦、河圖洛書等內容。

陰陽方面:《葬書》言「葬者,乘生氣也」,生氣即是陰陽和合之氣,「夫陰陽之氣,噫而為風,升而為雲,降而為雨,行乎地中,而為生氣」。[1]《發微論·雌雄篇》說:「山屬陰,水屬陽,故山水相對有雌雄。然山之與水又各有雌雄。陽龍取陰穴,陰龍取陽穴,此龍穴相對有雌雄。陽山取陰為對,陰山取陽為對,此主客相對雌雄也。」[2] 這是以陰陽來分山水龍穴之雌雄對待。《青囊序》以陰陽來劃分二十四山:「二十四山分順逆,共成四十有八局,五行即在此中分,祖宗卻從陰陽出。陽從左邊團團轉,陰從右路轉相通,有人識得陰陽者,何愁大地不相逢。」[3]《宅經》全書以陰陽來展開論述,提出「夫宅者,乃是陰陽之樞紐,人倫之軌模」[4]。

五行方面:體現於形勢宗經典中五行的形象符號或模式系統,如《玉髓真經·五星龍髓第一》曰:

太極未判混沌成,鑿開混沌天地明。
二氣融液交構精,元氣元形會結生。

1 [晉] 郭璞:《葬書》,《四庫術數類叢書》第 6 冊,上海:上海古籍出版社,1991 年,第 16 頁。

2 [宋] 蔡元定:《發微論》,《四庫術數類叢書》第 6 冊,上海:上海古籍出版社,1991 年,第 192 頁。

3 [唐] 曾文辿:《青囊序》,《四庫術數類叢書》第 6 冊,上海:上海古籍出版社,1991 年,第 85 頁。

4 顧頡主編:《堪輿集成》第 1 冊,重慶:重慶出版社,1994 年,第 1 頁。

　　天上行次有五星，地下行龍分五形。

　　五星五形均一體，地下五形參五星。

以五行來命名和判定山巒形體，也體現於理氣宗經典中方位、時運的五行生剋模式系統，如《天玉經》存在大量五行之辭，諸如「甲庚丙壬俱屬陽，順推五行詳；乙辛丁癸俱屬陰，逆推論五行」[1]「寅申巳亥水來長，五行向中藏」[2] 等。

　　八卦、易圖方面：如《入地眼全書》載有河圖生成篇、洛書生成篇、伏羲先天八卦對待夫婦、文王後天八卦合十夫妻、黃石公翻卦掌訣等。

　　可見，無論是形勢宗還是理氣宗風水著作，都不離易學內容。

第二節　易學文化與風水實踐

82. 甚麼是羅盤？怎樣使用羅盤？如何從羅盤結構體悟易學精微？

　　羅盤是風水術家勘察陰陽宅時用來定位或調理風水的工

1　[唐] 楊筠松：《天玉經》卷二，《四庫術數類叢書》第 6 冊，上海：上海古籍出版社，1991 年，第 102 頁。

2　[唐] 楊筠松：《天玉經》卷三，《四庫術數類叢書》第 6 冊，上海：上海古籍出版社，1991 年，第 103 頁。

具。大多數羅盤是內圓外方，內圓盤面嵌於外四方盤面中間，可轉動。也有羅盤只有內圓而無外方盤面的，但較少使用。當今風水術家使用的羅盤種類，按材料來分，有銅盤、漆盤；按磁針構造來分，有水羅和旱羅。按採用的風水理論來分，有三種：一種是三合盤，又稱楊公盤；一種是三元盤，或稱蔣盤、易盤；還有一種是三合三元綜合盤。三合盤、三元盤、綜合盤的盤面結構略有些不一樣。主要區別在於，三合盤的二十四方位有天地人三盤，地盤（正針）用來定向，人盤（中針）用來消砂，天盤（縫針）用來納水。三元盤只有地盤，而無人盤和天盤，但多了先、後天八卦層等。綜合盤則兼具三合盤、三元盤的結構。另外，羅盤的尺寸不一樣，盤面結構也不同，少則一二層，多至五十來層。

我們以台灣東定一尺二綜合羅盤為例來看其盤面內容。其內盤層如下：

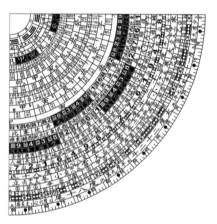

台灣東定一尺二綜合羅盤

0. 天池。即海底，由頂針、磁針、海底線、圓柱形外盒、玻璃蓋組成。磁針一端尖，指南；一端有角，指北，固定

在頂針上。使用時，將磁針與海底線重合。

1. 公司名稱及產品名稱。

2. 先天八卦。乾南、兌東南、離東、震東北、坤北、艮西北、坎西、巽西南。

3. 九星坤卦例及劫曜煞。

4. 八路四路黃泉煞。歌訣：庚丁坤向是黃泉，坤向庚丁切莫言；巽向忌行乙丙上，乙丙需防巽水先；甲癸向上憂見艮，艮逢甲癸禍連連；辛壬乾路最宜忌，乾向辛壬禍亦然。

5. 二十四天星。自壬山至亥順時針，依次為天輔、天壘、陰光、天廚、天市、天培、陰璣、天命、天官、天罡、太乙、天屏、太微、天馬、南極、天常、天鉞、天關、天漢、少微、天乙、天魁、天廄、天皇。

6. 正針二十四山、正體五行（地盤）。

7. 穿山七十二龍。審來龍過峽屬何甲子，定來龍吉凶。

8. 正針百二十分金（地盤）。

9. 中針二十四山、星宿五行（人盤）。

10. 中針百二十分金（人盤）。

11. 透地平分六十龍。推算穴後到頭來氣之純雜。

12. 三七正五名。

13. 縫針二十四山、後天卦合十水法（天盤）。

14. 縫針百二十分金（天盤）。

15. 先天十二地支。

16. 先天方圖六十四卦之卦運數、卦象。

17. 先天方圖六十四卦卦名。

18. 先天方圖六十四卦貪狼九星及南北三般卦。

19. 先天圓圖六十四卦之卦運數、卦象。

20. 先天圓圖六十四卦卦名。

21. 六十甲子配六十四卦。

22. 先天圓圖六十四卦之貪狼九星含三元三般卦。

23. 先天圓圖六十四卦卦爻順排及卦運數。

24. 先天圓圖六十四卦抽爻換象。

25. 時憲二十八星宿。

26. 太陽列山二十四節氣。

27. 渾天度二十四山五行。

28. 開禧二十八星宿星度數。

29. 開禧二十八星宿星度吉凶。

30. 開禧二十八星宿配星度五行。

31. 三百六十周天度數。

　　怎樣使用羅盤呢？首先，校對羅盤的準確性。查看羅盤內外盤面有無缺損，外盤邊緣是否正方形，內盤天池指針與盤面南北及外托盤十字紅線是否重合。其次，端正羅盤使用姿勢。

雙腳略分開，雙手把持羅盤外盤，置於胸腹高度，保持水平，將羅盤外方邊沿貼近或平行於測量物。最後，轉動內盤，使內盤天池磁針與天池海底線重合，磁針小孔一端與紅線上兩小紅點重合。此時，方盤十字紅線壓着內圓盤地盤上二十四山中的某字，即為某座向。但在實際操作中，羅盤的使用是非常複雜之事。各派風水術理論不同，對羅盤的使用要求也是不一樣的，有的用地盤立向、人盤消砂、天盤納水，有的純用地盤；羅盤測量點也可能不同，如測量房子大門外的事物方位時，有的在房屋屋檐滴水處下羅盤，有的在大門處下羅盤，還有的在房屋中心處下羅盤。一般而言，運用哪派風水術理論，就按該派理論的要求使用羅盤，不宜混雜。

　　羅盤層數越多，涉及的內容也就越複雜，蘊含的易學內容越豐富。以上例羅盤來看，我們會發現羅盤的結構亦不離易學。第一，從羅盤層面形式來看，許多層面的形式都是從易學陰陽八卦而來，比如先天八卦、先天六十四卦方圓圖，皆為宋邵雍先天易學中的重要圖式和內容。第二，先天方圖、圓圖的六十四卦之卦運數，取自先天八卦的洛書數，採取的是先天八卦與洛書的配合模式，體現了易學象數結合原則。第三，既有先天的八卦、六十四卦，又有後天的天、地、人盤方位，體現了易學先後天結合的思想內容。第四，既有八卦、六十四卦的方位對待，又有二十四節氣的分佈，體現了易學卦位與卦氣的結合、易學先後天對待流行的思想內容。第五，立足羅盤整

個層面，由內向外看，從天池太極到先後天八卦，再到二十四山、六十四卦，以至周天三百六十度各方位，恰似易學太極生化之過程。整個羅盤，縮小至太極，放大推衍至周天三百六十度，小大之間，依照內在的陰陽、五行、八卦、六十四卦屬性及其易學作用關係，縮放自然，有條不紊。可以說，一個羅盤就是一個融陰陽、五行、八卦、六十四卦及天地萬物時空為一體的小宇宙。

83. 古代風水建築是如何借鑑易學象數理則的？

古代風水建築，諸如家居、祠堂、墳墓、橋樑等，常依據風水易學理論來佈局、施工。唐朝長安城、明清北京城及明十三陵、清東西陵等皆是其中典型。我們以明清北京城為例來看其風水建築對易學象數理則的運用。明清北京宮城，亦稱紫禁城，為明清兩代皇宮建築。四面各有一門，正南為午門，東為東華門，西為西華門，北為玄武門。自南至北，為宮城中軸線，線上歷經太和門、太和殿、中和殿、保和殿、乾清門、乾清宮、交泰殿、坤寧宮、坤寧門、天一門、欽安門等。分前朝、內廷兩部分，前朝是皇帝發號令、舉行大典之地，以太和殿、中和殿、保和殿為中心，左文華殿，右武英殿，分列兩旁。三大殿以北為內廷，乃皇帝處理政務和後宮之所。

北京城的宏觀結構是依據天星三垣理論來構建的。古人將天空中央劃分為三垣：太微、紫微及天市垣。紫微居北

天之中，是天帝居所。人間仿此，皇帝必居「紫微宮」，設最大宮殿太和殿於故宮中央，凸顯皇帝為最高最大主宰之意。太微垣在紫微垣東北角，為天帝布政之地，對應着故宮太和殿及左右文、武官署衙門。天市垣為交易之所，對應着今菜市口、珠市口、驟馬市一帶。故宮建築的整體立意，突出君臣民之主次，體現了易學法天象地及天地人三才之道的思想底蘊。

　　故宮的整體結構佈局暗合陰陽、五行、八卦易象。易學強調一陰一陽之謂道，左陽右陰，動陽靜陰，陰陽相濟對待流行。此宮城以南北中軸線界分左右陰陽：左為陽，設置文華殿、文淵閣、東華門等；右為陰，設置武樓、武英殿、西華門等。左邊南三所，為皇太子宮室；右邊慈寧宮、壽康宮等，為皇后、宮妃居所。這體現了以文為陽、以武為陰，以男為陽、以女為陰，是易學陰陽概念的應用。宮城又分前朝和內廷：前朝多為君臣相見、活動場所，為動為陽；內廷主要是後宮居住之地，為靜為陰。如此一動一靜，陰陽合德。

　　故宮各殿門是按照河圖五行來佈局的。太和殿位居中央，巍然屹立，廣場宏大朗明，取土為尊之意；東有東華門、文樓、體仁閣等，取東為木為仁之意；南有午門，屬火；西有武樓、武英殿、弘義館等，取西為金為伐為義之意；北有玄武門，屬水。各殿門的銅釘數量也暗合河圖五行。故宮午門、玄武門和西華門門釘皆九橫九縱 81 顆，而東華門八行九列 72

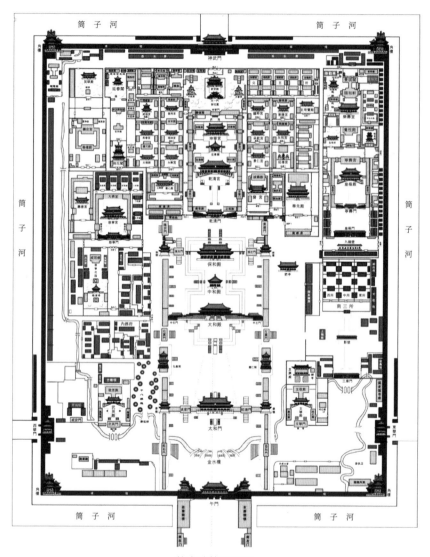

故宮建築平面圖

顆，少了一行銅釘，其中緣由可能是：東方屬木，若九行九列銅釘，一則銅釘為金，二則河圖四九為金，如此重金剋木，不吉；若去東邊銅釘不用，則不合四方之體，故列八行銅釘，取河圖三八為木之意，削減金剋之分量。

故宮多處宮殿名出自易學八卦，如乾清宮來自乾卦，坤寧宮來自坤卦，交泰宮來自乾坤組合的泰卦。建築分佈亦符合八卦意蘊，如水自西北方引入，繞而從東南方流出，乃取後天八卦乾為天門，巽為地戶，水自天門入自地戶出之意。乾清宮與坤寧宮一南一北，契合先天八卦乾南坤北天地定位。交泰宮位於乾清宮與坤寧宮之間，又暗指乾坤父母交感而生機昌泰。

故宮建築對於易數也特別重視，尤其是九數和九五數。故宮有九千九百九十九間房間，宮城中心太和殿有九層台階，午門、玄武門、西華門等宮門銅釘取九列九行，九龍壁面由 270 塊組成、天壇三層四面台階各九級，三層壇面欄板共 360 塊，數目皆為九或九的倍數。易卦爻陽為九，九數在易數中為陽數之最大者。又六爻之中以五爻為君，故軸線上皇帝所用和出入城樓如太和殿、保和殿、午門、天安門等皆橫闊九間，縱深五間，取九五之數，合易學「九五」至尊之象數理義。

北京故宮大至整個規劃，中至門、樓、台、階等佈局，小至銅釘數目，處處不乏易學象數之痕，由此可見古代風水建築與易學象數理則的緊密關係，易學對建築的深刻影響。

84. 歷史上許多儒家代表人物也有過風水實踐，其中是否體現易學內涵？

歷史上的儒生對風水褒貶不一，有人不屑一顧，也有人大加讚美。如果說王充、司馬光、張載、程頤等代表了批評風水的一派儒者，那麼朱熹、蔡元定可以說對風水情有獨鍾。朱熹曾經論及冀都和堯都的風水，他說：「冀都是正天地中間，好個風水。山脈從雲中發來，雲中正高脊處。自脊以西之水，則西流入於龍門西河；自脊以東之水，則東流入於海。前面一條黃河環繞，右畔是華山聳立，為虎。自華來至中，為嵩山，是為前案。遂過去為泰山，聳於左，是為龍。淮南諸山是第二重案。江南諸山及五嶺，又為第三四重案。」[1] 又說：「堯都中原，風水極佳。左河東，太行諸山相繞，海島諸山亦皆相向。右河南繞，直至泰山湊海。第二重自蜀中出湖南，出廬山諸山。第三重自五嶺至明越。又黑水之類，自北纏繞至南海。泉州常平司有一大圖，甚佳。」[2] 當孝宗山陵選在會稽時，朱熹認為「多水泉沙礫」，非土肉深厚之地，要求重新擇地，《宋史》載：「熹竟上狀言：『壽皇聖德，衣冠之藏，當博訪名山，不宜

1　[宋] 黎靖德編，王星賢點校：《朱子語類》卷二，北京：中華書局，1986年，第 1 冊第 29 頁。

2　同上。

偏信台史，委之水泉沙礫之中。」[1]「夫山陵之卜，則願黜台史之說，別求草澤，以營新宮，使壽皇遺體得安於內，而宗社生靈，皆蒙福於外矣。」[2]朱熹要求重新擇風水寶地來安置壽皇遺骸，深信鬼神可招禍福於人之風水效驗。他認為冀都、堯都是好風水的理由，是基於《葬書》的四獸說。《葬書》謂左青龍、右白虎、前朱雀、後玄武，一處好風水，要求四獸齊全，既各居其位又有情相照，講究玄武垂頭，朱雀翔舞，青龍蜿蜒，白虎馴俯。這種描述雖然不能直接彰顯易學象數內容，但若深入分析，卻可以發現其所承載的易學理趣，因為四獸配合本身即遵循了易學的陰陽法則。左青龍貴在高大蜿蜒，右白虎貴在馴俯。四獸有情相顧，又體現陰陽合德。如果朱熹未諳四獸呼應的格局、未曉風水理論的易學理趣，又豈能不像其他一些儒者那樣譏諷風水的全無義理，反而會評論該地「好個風水」呢？

第三節　當代建築借鑑易學風水的思考

85. 有人說樓盤規劃與建設應該講究風水，你怎麼看？

當今，有許多城市樓盤為追求商業利益，密建濫構，以致房屋奇形怪狀，尖射衝斜，散亂無序，割裂天地人三才聯繫，

1　[元] 脫脫等：《宋史》卷四百二十九，北京：中華書局，1977 年，第 12764 頁。

2　同上書，第 12765 頁。

違背「天人合一」思想。如何避免這種亂象？筆者以為，借鑑易學風水理論是有所裨益的。

　　首先，易學風水理論強調「一脈貫通」。所謂「一脈」就是龍脈，而「貫通」是說龍脈之真氣、正氣暢行無阻。在傳統風水學的工作程序中，有「尋龍、踏砂、觀水、點穴」的步驟。「尋龍」就是尋找龍脈發端和走向；「踏砂」就是沿着祖山走向，四方查看周圍環境；「觀水」就是觀看水流是如何環繞龍脈走向行進的；「點穴」乃是確定龍脈最終聚氣之焦點。這四個步驟，以「尋龍」為起點，說明古人對龍脈的高度重視，而其後的三個步驟也是緊緊圍繞龍脈而採取的技術操作。從這個角度看，「龍脈」問題乃是易學風水理論的核心。正如《易經》的卦象連綴一樣，「龍脈」只是一種比喻或象徵，其本質說到底乃是為了氣行通暢。唐代地理學家卜應天在《雪心賦》第一章「地理之宗」裡說：「蓋天地開闢，山峙川流，二氣妙運於其間，一理並行而不悖。」意思是講，在太極未分之前，天地山川唯有一氣流行，當太極運動，天地分開，於是有了陰陽二氣的感通。陰陽雖有分別，當流行貫通的道理卻是一致的。所以，地理學家以為，山雖然靜，而其妙卻在運動之中；水雖然在運轉，而其妙卻在安靜之中。一動一靜，交相呼應，這就是陰陽之氣感通流行的法則。根據這種理論，來檢討當代人居建築，就應該注重各建築物之間彼此通透，疏密得當，才能保障居處的安詳。

　　其次，易學風水理論凸顯「協和有情」。所謂「協和有情」
指的是前後左右各建築物要有呼應。古代易學風水學家不是
孤立地進行某種機械操作，而是把建築佈局與周邊環境當作
一個整體來考慮，並且引入象徵的符號表徵系統，於是有了青
龍、白虎、朱雀、玄武的概念。青龍代表東方，白虎代表西
方，朱雀代表南方，玄武代表北方。它們兩兩對應，恰如夫妻
一樣，恩愛有加。具體而言，講究的是玄武氣象重巒疊嶂，形
勢起伏有力，左右青龍白虎旗鼓相當，端正整齊，護繞有情，
明堂河水曲曲回抱，案山朝山秀麗光彩迭宕，水口周密，交節
關鎖，整個自然畫面呈現層次、動態、曲線的立體感，極富審
美效果。在講究自然形勢前提下，易學風水理論強調通過打造
人工建築風水，調理某種缺陷，比如設置寶塔、樓閣、亭台等
標誌物，這種標誌物常置於水口或高處，既彰顯風水效應，又
增添景觀意味，將風水物的設置與景觀設計融為一體。總之，
這種風水佈局，並非隨意取景，而是遵循陰陽和合法則，暗含
着易學風水的文化精神。

　　最後，易學風水理論講究人宅一體。《宅經》說，「凡人
所居，無不在宅」[1]，「故宅者，人之本。人以宅為家居，若安即
家代昌吉，若不安即門族衰微」[2]。基於這種重視宅舍的精神，

1　顧頡主編：《堪輿集成》第 1 冊，重慶：重慶出版社，1994 年，第 1 頁。

2　同上。

易學風水理論專家將建築環境人性化。《宅經》甚至以宅舍
建築所需的自然物來比附人體:「以形勢為身體,以泉水為血
脈,以土地為皮肉,以草木為毛髮,以舍屋為衣服,以門戶為
冠帶。若得如斯,是事儼雅,乃為上吉。」[1] 在《宅經》作者看
來,人宅一體,宅是人體的放大,人體是宅的縮影。把宅舍建
築生命化,一方面可以激發保護宅舍與周邊環境的意識,另一
方面可以給居者以安全感,形成息息相依的情感紐帶,這無疑
有助於居者的身體健康與精神健康。

　　以上三個方面僅僅是略舉,從中可以看到易學風水理論
「以道為要、以人為本、以居為安」的整體思路。當今的人居
樓盤建築規劃若對此有所借鑑,相信可以減少盲點,提升境
界,有助於安居。

86. 當代很多城市千篇一律,如何從易學風水角度分析?

　　鄭玄說:「易一名而含三義:易簡,一也;變易,二也;
不易,三也。」[2] 易學風水也講三易,尤其體現在實踐操作中。
易簡,事物繽紛萬千卻大道至簡。風水講究的是「天人合一」
思想,「一」即太極,契合易簡理趣。風水理論根基是太極,

1　顧頡主編:《堪輿集成》第 1 冊,重慶:重慶出版社,1994 年,第 4 頁。

2　《十三經注疏》整理委員會整理,李學勤主編:《十三經注疏·周易正義》,
　　北京:北京大學出版社,1999 年,第 5 頁。

萬千造化亦來自太極。朱子曰:「太極只是天地萬物之理。在天地言,則天地中有太極;在萬物言,則萬物中各有太極。未有天地之先,畢竟是先有此理。動而生陽,亦只是理;靜而生陰,亦只是理。」[1] 太極之義,正可謂理之極致。有是理即有是物。太極在陰陽中,而非在陰陽外。兩儀、四象、八卦、六十四卦,實為太極的演化,這種演化就是「變易」。太極衍生萬物,而萬物皆內涵太極,此正所謂物物一太極,理一而分殊!太極在易學風水上的展開,體現了自然與人類的相互關聯,即「天人合一」;而「合」的精神貫徹即是「對應感通」法則。易學風水的核心精神總括起來可以說是:以生氣為靈魂,以和合為原則,以陰陽為綱要,以「零正」[2] 為導向,以五行八卦生剋為作用,講究對待流行,生生不息。

易學風水的生態追求,目的是選準趨吉避凶的自然環境。其根本點在於維護和運用自然生氣,服務於人的健康生活。這種生氣並非僅僅指地氣、空氣之類的具體物質存在,易學風水更注重的是時空配合所造成的具有生生不息性質的某種形式。生氣的形成,是通過形氣、卦氣、時氣、人氣的陰陽和合及其

1　[宋]黎靖德編,王星賢點校:《朱子語類》卷一,北京:中華書局,1986年,第1冊第1頁。

2　「零正」是風水學中的一個重要概念,見於楊筠松《天玉經》,說的是朝向選擇首先要找準時氣旺方,以旺方為「正」,以衰方為「零」,達到東西南北四向「合十」。

內在五行生剋的作用方式來規範的。具體要求有如下四端：
第一，形體配合，包括象、數、質三個因素。落實到風水形勢
上，這些因素又通過五星或九星的符號來昭示。《天玉經》說：
「五星配出九星名，天下任橫行。」[1] 五星是金木水火土五種巒
頭形態。而五星又有九種變體，即貪、巨、祿、文、廉、武、
破、輔、弼，此是以星名指代形巒。陰宅強調龍砂水穴的形巒
正行，陽宅主要看門、戶、房、床、竈、井的形體，稱作內外
六事。第二，卦氣配合，即形體空間方位與卦爻氣象的配合。
《天玉經》說：「父母陰陽仔細尋，前後相兼定；前後相兼兩路
看，分定兩邊安。卦內八卦不出位，代代人尊貴；向水流歸一
路行，到處有聲名。龍行出卦無官貴，不用勞心力；只把天醫
福德裝，未解見榮光。倒排父母蔭龍位，山向同流水。十二陰
陽一路排，總是卦中來。關天關地定雌雄，富貴此中逢。翻天
倒地對不同，機密在玄空。」[2] 其中所謂「父母」代表乾坤兩個
基本卦，先將乾坤父母確定了，震、坎、艮、巽、離、兌六個
子女卦的相應位置也就明確了。根據八卦方位格局來看來龍
去脈，就能找到貴格。而最為重要的是要能看破「玄空」（無
形之道、真穴所在）中的機密，通過卦象的感通，激發生氣，
為宅舍主人所用。此經又說：「龍要合向向合水，水合四吉位。

1　[唐] 楊筠松：《天玉經》卷二，《四庫術數類叢書》第 6 冊，上海：上海古
　　籍出版社，1991 年，第 99 頁。

2　同上書，第 93—94 頁。

合祿合馬合官星，本卦官旺尋。」[1] 講究形體所在卦位之間的陰陽和合、兼顧有情關係。第三，時氣配合。斗轉星移，時間變化，風水所臨時氣也變遷不居。關於時氣有太歲流年說，有二元八運說，有三元九運說等。形體不僅有卦氣的定位，還有時氣上的安排，形氣卦氣的生死，不光是形體上外在的生死，也體現在內在的時氣旺衰變遷引發的生死。形體之間的陰陽雌雄配合看時氣，零正生旺衰死亦看時氣。時氣變遷，有時陰不再是陰而變為陽，陽不再是陽而變為陰，故形體生機、卦位相合；若遇時氣不及，零正顛倒，陰陽不合，也難以達到「天人合一」、趨吉避凶的目的。如《青囊序》云：「山管山兮水管水，此是陰陽不待言。識得陰陽元妙理，知其衰旺生與死。不問坐山與來水，但逢死氣皆無取。」[2] 強調好地形還得配上好時氣，如果山水形態不能與時氣的陰陽五行感通相助，而是相剋制約，則雖旺而衰，乃至進入死地。所以看清旺、相、休、囚、死的變化，是至為關鍵的一環。第四，人命配合。易學風水最後的落腳點無疑是人，哪怕形氣、卦氣、時氣皆妥，但若人命不合，風水上則認為是吉而凶死。形氣、卦氣、時氣、人氣是易學風水的四種維度，四者之間相互影響、彼此滲透，體現

1　[唐] 楊筠松：《天玉經》卷二，《四庫術數類叢書》第 6 冊，上海：上海古籍出版社，1991 年，第 100 頁。

2　[唐] 曾文辿：《青囊序》，《四庫術數類叢書》第 6 冊，上海：上海古籍出版社，1991 年，第 85 頁。

共生性。此為風水之「不易」大義。甚麼是「人命」呢？即一個人出生的年、月、日、時，稱作「四柱」之命。在古代堪輿家心中，人之生命，作為一種自然過程，乃上天賦予。一個人出生的年月日時，也通過干支來體現，而干支內在本質是「五行」。所以，堪輿家進行風水佈局，還得考慮「人命」五行與空間五行的相生相剋問題，唯有二者相生有助，才是好格局。這在今天看來似乎存在不合時宜的因素，但其中所貫注的時空統一、天人相應精神卻是值得肯定的。

「簡易」「不易」之道固然顯明，但要真正落實，卻要通過「變易」來實現。因時間在不斷變化，人亦皆各有其特殊性，要真正做到形氣、時氣、卦氣和人氣的統一，形成風水生氣，以利於人居，非簡單之事。風水始終處於變化之中，此即易學風水三易之「變易」大義。體現在風水選擇上，就是要因地制宜，因時變通。風水是個活潑潑的東西，任何按圖索驥、依葫蘆畫瓢的做法，都是未理解風水理論精髓的作為。

基於此，我們反觀當今，各城市經緯度不一，其卦氣、時氣有別，自然形體更是千差萬別，因而城市及其建築理應千姿百態，各有個性。遺憾的是，我們所能看到的大多是大同小異的城市建築。這就違背了三易原則，無法達到與天地合一，難以形成利於人居的「生氣」，反而會因為不顧具體情況而造成「死氣」，貽害於人。一個城市的規劃與建設，應該立足於當地的形氣、卦氣、時氣、人氣來安排，才是合乎易學風水理

論的應有之舉。

87. 當代社會生態遭到破壞，環境污染嚴重，易學風水對於扭轉這種局面有作用嗎？如果有，應該採取甚麼措施？

易學風水的思想核心是「天人合一」，旨在追求人與自然和諧相處，並通過趨吉避凶來造福於人。尊重自然是前提，利用自然規律是手段，實現人與自然和諧共生是效應和目標。

易學風水之「天人合一」的思想根基，是把人視為自然的有機部分，自然乃是人的身體延伸。《陽宅十書》第一部分「論宅外形」中就提到自然與人的休戚與共：「人之居處，宜以大地山河為主。其來脈氣勢，最大關係人禍福，最為切要。」[1]《葬書》把這種關係加以細化，認為「形如植冠，永昌且歡。形如投筭，百事昏亂。形如亂衣，妒女淫妻。形如灰囊，災舍焚倉。形如覆舟，女病男囚。形如橫几，子滅孫死。形如臥劍，誅夷逼僭。形如仰刃，凶禍伏逃。牛臥馬馳，鸞舞鳳飛，騰蛇委蛇，黿鼉魚鱉，以水別之。牛富鳳貴，騰蛇凶危。形類百動，葬皆非宜，四應前接，法同忌之」[2]。這段描述以種種比喻象徵，說明自然形態對人體的諸多影響：既有正面的，也有負面的；既

1　顧頡主編：《堪輿集成》第 2 冊，重慶：重慶出版社，1994 年，第 191 頁。

2　[晉] 郭璞：《葬書・雜篇》，《四庫術數類叢書》第 6 冊，上海：上海古籍出版社，1991 年，第 33—34 頁。

有積極的，也有消極的；既有善的，也有惡的。由此可見，易學風水理論對自然環境是極為重視的。為達到趨吉避凶的目的，易學風水理論主張在進行建築實踐之前首先對自然環境進行詳細考察，選擇合乎易學風水法則的山川形勢，比如龍砂來勢深遠，形體偉岸，山巒端正圓淨，開面有情；穴土肥潤，五色光明，忌爛泥污土；水貴形曲，水質清甜，忌苦澀難聞等。這種重視人與自然關係的易學風水理論，勢必要求人類尊重山水形勢，不任意破壞自然、污染環境，不然則會受到反蝕。

易學風水理論不僅重視自然環境的考察，而且要求根據不同的人文需求選擇相應的空間地理形勢。《陽宅集成》列有書房、衙門、店屋、寺觀與居宅不同的易學風水要求：「書房則取文明之象，不忌咸池高聳，文筆生尖。衙門則喜規模宏敞，不妨堂皁尊嚴，公庭寬大。市肆店房偏宜路衝險要，何嫌去水橋樑？庵堂寺觀反要水沖龍脊，豈懼高山長嶺？」[1] 按照古代堪輿家的看法，有些地形為住宅所忌，但與書房、衙門、店屋、寺觀卻相宜。這種區分，既反映了自然風水與人文環境協調的思路，也體現了一些特殊講究。易學風水理論警戒各種煞害，特別反對人為造就的聲煞、味煞等，針對此提出了不少調理的對策。

1　[清] 王道亨編纂，[清] 姚廷鑾著，李祥白話釋意：《陽宅集成》，北京：中醫古籍出版社，2010 年，第 239 頁。

　　易學風水理論儘管存在一些糟粕，但也體現了環境保護、人文關懷的深邃思考。面對當今的生態環境問題，我們可以通過以下幾種方式來改善：

　　第一，構建山水合一的宜居城市。建築學和城市規劃學者吳良鏞在《「山水城市」與 21 世紀中國城市發展縱橫談》中提到中國城市把山水作為城市構圖要素，山、水與城市渾然一體，蔚為特色。形成這些特點的文化背景是中國傳統的「天人合一」哲學觀。[1] 從易學風水理論的立場看，即充分運用自然特色，根據山巒屬性來構建城市佈局，同時做好山巒的保護和維護工作。

　　要適時適地種植物，改善自然環境。在風水調理中，植物是常用的手段，其作用也是顯著的。特別是大片的植物，有利於造就「制煞」效應，如改變山巒形體的不足，改變某方位的生氣來路，阻擋噪音等。此外，植物也有助於達成吸收有毒氣體、減少污染、美化視覺的景觀效果。

　　還要充分利用水的作用。水在易學風水中是與山相對的自然物。水於山具有界氣作用，《山洋指迷》云：「氣者，水之母也；水者，氣之子也。有氣斯有水，有水斯有氣。氣無形而難見，水有跡而可求。水來則氣來，水合則氣止。水抱則氣

1　吳良鏞：《「山水城市」與 21 世紀中國城市發展縱橫談 —— 為山水城市討論會寫》，《建築學報》1993 年第 6 期。

全，水匯則氣蓄。水有聚散，而氣聚散因之；水有淺深，而氣
之厚薄因之。故因水可以驗氣也。」[1] 水是生命之源，以水引
氣，既可造就事物的鍾靈毓秀，也能發揮水界分空間、曲繞空
間的景觀作用。

　　第二，依據不同人文要求來安排建築，以促進人文生態的
改觀。比如界分不同行業、身份、層次的人群，規劃不同建築
等。這一點尤其值得注意，因為人們往往容易認識到自然生態
問題，卻忽視人文生態問題。

1　[清] 王道亨編纂，[明] 周景一著，李祥白話釋意：《山洋指迷》，北京：中
　　醫古籍出版社，2010 年，第 164 頁。

第十章　易學與中醫養生

第一節　易醫會通概觀

概觀易學與醫學會通的研究，可以說走過了一條非常坎坷的道路。20 世紀初，唐宗海寫成了《醫易通說》，目的在於「為醫學探源，為易學而引緒」。該書從一個特定層面說明中醫是科學的，在易醫會通方面着重論述了人體八卦理論及其生理、病理、診斷、治療原理，既對前代易醫會通研究成果予以總結，又開創了 20 世紀易醫會通研究的先河。近代名醫惲鐵樵是反對「廢醫存藥」的，他主張以中醫本身學說為主加以創新，在《群經見智錄》中論述了醫與易的關係，認為「易理不明，內經總不了了」。

中醫和易學都注意描述人與自然變化之間的關係。相比而言，易學側重於從宏觀上把握人與自然的關係，它告訴人們自然是如何變化的，人類如何才能夠趨吉避凶；而中醫則在更

多層面具體描述人體健康與自然的關係。按照中醫的立場，人是自然的一部分，順應自然則生，違背自然則死，疾病就是大自然對不順應它的人的一種懲罰。易學和醫學兩者在思維本質上是一樣的，都主張天人一理。所謂「一此陰陽」，正說明易與醫在陰陽學說基本點上是融通的。對於這一點，在 20 世紀前半葉，無論是中醫界還是易學研究界，都是有共識的。

到了 20 世紀 50 年代，易醫會通研究趨於低潮，尤其是十年「文化大革命」期間，易經、中醫、陰陽五行都被打入封建迷信的行列，易醫會通研究成為禁區。

80 年代以來，易醫會通研究逐漸趨熱。研究涉及易學和醫學的各個方面，如易醫相關的歷史研究、易醫相關的思維方式研究、易醫象數學研究、易醫理論體系研究，等等。在短短二十幾年中，研究易醫會通的著作出版了幾十本，有關易醫會通的論文竟達數百篇之多。有關易醫會通的專門學術會議開了幾十次。在易與醫關係如「醫源於易」「易醫會通」方面，大部分研究者都是持肯定態度的。當然，也有一些研究者提出相反的意見，認為易醫會通研究的結果不可能超出傳統思維範疇而給人們帶來甚麼意外的驚喜。因為易醫會通研究不足以囊括中醫學的全部課題，只有中西醫融匯並與現代科學一起在各個研究課題中全面展開，中醫學的發展才有可能達到應有的深度。所以，我們不能不看到不少易醫會通研究還處於低層次比附、無根據猜想、想當然拔高和低水平重複的階段，對中醫深

層次的理論本質、思維模式的研究還遠遠不夠。

　　另一方面也要看到，近年來，易醫會通研究也取得了長足的進步。開展易醫會通研究，目的是將易學的觀察、思維方法論運用於中醫，讓中醫對自身有一個透徹的了解。當代易醫會通研究有必要吸收前沿自然科學、社會科學、哲學的新成果，在相似性模擬的基礎上向更高層次的模式化綜合發展，以促進中西醫的融匯發展和中醫現代化，最終建立起一種分析基礎上的模式化綜合型的現代醫學。

88. 甚麼叫「易醫會通」？目前關於易醫會通課題有哪些代表性成果？

　　關於「易醫會通」，張介賓《醫易義》有一段精闢論述：「乃知天地之道，以陰陽二氣而造化萬物；人生之理，以陰陽二氣而長養百骸。《易》者，易也，具陰陽動靜之妙；醫者，意也，合陰陽消長之機。雖陰陽已備於《內經》，而變化莫大於《周易》。故曰天人一理者，一此陰陽也；醫易同源者，同此變化也。豈非醫易相通，理無二致，可以醫而不知易乎？」[1] 照此論述，可知「易醫會通」也就是天人一理，一此陰陽；醫易同源，即同此陰陽變化之至理。

　　易醫會通的研究成果，明確了中醫學在《周易》的滲透和

---

[1]　張景岳：《類經圖翼》附翼卷一《醫易義》，《文淵閣四庫全書》本。

影響下，經過借鑑、沿用的歷程，融合氣、太極、陰陽五行、八卦理論，並按中醫學自身的發展規律而充實、提高，認為易學對中醫的影響就是為中醫提供了思維模型和思維方法，反過來，中醫學的發展又充實和補充了易學的思維科學和生命哲學。兩者會通，形成新的易醫思維模型和思維方法，推動了中醫學的理論發展，造就了不可替代的醫療優勢。

1991 年，李俊川、蕭漢明主編的《醫易會通精義》一書由人民衛生出版社出版。該書凡 41.6 萬字，前有任繼愈、蕭萐父先生序。其後正文由導論和上下卷構成。上卷共 12 章，論述要目包括：《周易》中的醫學萌芽，《易緯》與中醫氣象學，《周易》和《黃帝內經》，易理在《傷寒論》中的體現，楊上善《黃帝內經太素》的易學思想，《周易》與孫思邈的學術思想，王冰與《內經·素問》，《周易》與金元四大醫學流派，張介賓論醫與《易》，《本草綱目》與《周易》，方以智的易學與醫學，清人醫易會通舉要。從這些章目看，該書上卷主要考察中醫經典文獻與《周易》的關係，同時論及歷史上一些中醫流派以及著名醫家汲取易學思想精華以建立理論體系的情況。下卷共 7 章，論述要目包括：歷代醫家對《周易》陰陽學說的實踐和發展，五行學說與中醫基礎，《易傳》象論與藏象經絡學說，針法中的易理，推拿按摩的太極八卦說，《周易參同契》與養生，醫易會通的新前景。與上卷相比，下卷側重探討中醫基本理論、療治技術與《周易》原理的關係。該書是 1949 年以來有

關易醫關係問題研究最為系統的一部學術著作，也是 20 世紀後期一部總結歷代易醫相關研究成果的代表作，對後來的進一步探討具有重要推動作用。

《周易研究》雜誌 1997 年第 1 期刊載了武漢大學蕭漢明教授的文章《醫〈易〉會通之我見 —— 兼與李申兄商榷》一文。其中，關於易醫會通與傳統醫學的現代化、傳統醫學能否前進等問題的討論，令人關注。2003 年，蕭漢明的學術專著《易學與中國傳統醫學》由中國書店出版。蕭漢明指出，中醫近現代的遭遇實在過於坎坷。它由生理、病理、診斷和藥理等諸方面組成的獨特、完整的理論體系和古樸的系統思維方式，完全無法被西方近代醫學所接受，但當一切古老學科都先後被近現代思潮征服時，唯獨這一古老的中醫學居然還能生存下來。[1] 80 年代以後，當西方對醫藥費用居高不下以及化學藥品的厭惡情緒日趨蔓延時，中醫藥學也開始成為世界醫學注目的課題。儘管如此，中醫學離傳統所曾達到過的最佳狀況還有很大距離，它還沒有真正自覺地把握住自己未被近代醫學甚至現代醫學所取代的內在合理性。在蕭氏關於易醫會通與傳統醫學現代化問題的論述中，可以看到他對於自覺掌握中醫學內在合理性的主張。按照他的看法，只有了解中醫學運用陰陽五行學說建構的各種單項的和複合的「天人」模型後，才有可能百

1　蕭漢明：《易學與中國傳統醫學》，北京：中國書店，2003 年，第 16 頁。

尺竿頭更進一步。為了中醫學的現代化，首先應當實實在在地回歸傳統，回歸太極思維。易醫會通不只是一般地講好陰陽五行，而是要講得前無古人後有來者，直到講得與當代甚至後代的科學成就能一拍即合為止。易醫會通要實現這一理想絕非易事，需要易醫以及多學科的更長期、艱苦的探索。

中醫學運用陰陽五行學說建構的各種單項的和複合的「天人」模型也是目前研究易醫會通課題較有代表性的成果。北京中醫藥大學張其成教授曾經以「象」模型為切入點，論述易醫會通問題。他提出「象」思維是易醫學共同的思維方式，是易醫會通的交點。[1]「象」思維包括「象」思維模型和「象」思維方法，他認為「象」思維方法是一種模型思維方法。「象」思維模型有卦爻模型、陰陽模型、易數模型、五行模型、干支模型等多級同源、同質、同構的子模型。他進而探討了「象」思維具有整體性、全息性、功能性、關係性、超形態性、時序性以及重直覺、體悟、程式、循環的特徵，指出這一特徵正是易學、中醫學理論的本質。中醫學與西醫學的本質差別就是「模型論」（宏觀）與「原型論」（微觀）的差別，兩者各有優劣，應該是互補的。

張其成教授進一步提出，一切模型都來源於實踐。隨着實踐的發展，模型也在流動、變化、更新之中，易醫「象」模型

1　張其成：《易學與中醫》，南寧：廣西科學技術出版社，2007 年，第 238 頁。

也不例外。由於生命世界的高度複雜性，藉助一種或幾種模型往往不能詳盡地、精確地反映原型的結構、屬性和行為。正確的態度應該是對這一思維模型與人體生命原型進行雙向研究，拋棄錯誤，修正不足，逐步尋找到一種合理的、逐步逼近原型的模型。這就不能不藉助於多學科的尤其是現代科學的新成果、新手段，在更高層面上修補、提高和發展中醫。

現代中醫所面臨的關鍵問題，應該是在真正認清「象」思維的前提下，繼續把握宏觀、整體、動態認知生命的大方向，致力於研究怎樣彌補微觀、分析、形態方面先天不足的問題。具體地說，就是繼承整體性，強化分析性；繼承動態功能性，強化形態結構性；繼承主觀性、直觀性，強化客觀性、邏輯性；繼承求同性，強化求異性。相對地說，中醫的重點應放在後者，而西醫的重點應放在前者。在思維模式的層面上使中西醫達到一種最佳配置上的調節，實現形而上意義上的中西醫結合，這無疑是中醫發展的走向，也是實現中醫現代化的前提。「象」思維模式是目前研究易醫會通課題較有代表性的成果之一。

89. 上個世紀末以來有關易醫會通問題發生過哪些爭論？焦點是甚麼？應如何評估？

上個世紀末以來，對「易醫會通」的爭論實際上源於對陰陽和五行學說的不同認識。主要爭論的議題包括：

（1）醫是否源於《易》。大部分研究者都持肯定態度，認為《易》與醫是一般與個別、普遍與特殊的關係，醫源於《易》是毋庸置疑的。但也有一些研究者提出相反意見，認為中醫理論與易學無關，醫既不源於《易》，也無會通之處，這一研究是毫無意義的。

（2）《易經》《易傳》是否是中醫學的直接理論淵源。持肯定意見者認為，《周易》經傳都為《黃帝內經》等醫學原典所直接汲取；持否定意見者則認為，《易經》自產生後直到隋唐以前，長達一千六百多年的時間內，對中醫幾無影響，將醫理與《周易》聯繫起來，主張醫生必須通曉《周易》，是從明末才開始的思潮。

由上述情況可知，許多學者不認同唐代以前存在易醫會通的事實，但主張隋唐以後出現了易醫會通的走向。分歧的焦點是在隋唐以前，尤其是《黃帝內經》與《周易》有沒有關係的問題。肯定派承認兩者有密切關係，《周易》對《黃帝內經》有重要影響；否定派否認兩者之間有關係。

我們認為，如果繼續糾纏易醫是否會通，或者醫是否源於《易》的問題，對中醫本身的發展是毫無意義的。但如果將此項研究導入以下問題：易醫會通的焦點在哪裡？這個焦點對中醫學的形成和發展起到了甚麼樣的歷史作用？當今易醫研究與中醫理論研究、臨床研究有甚麼深層次的關係？易醫思維模式與價值體系在西醫的衝擊下如何實現轉型升級？找到

易醫會通的焦點並獲得相應成果，對中西醫匯通、對中醫現代化或許會有一些戰略上的幫助。

易醫會通的焦點，只能是在深層次的思維模式層面。如前所述，有些中醫學者從一個特定的層面即思維模式的層面探討了這一問題，提出「象」思維是醫易學共同的思維模式，是易醫會通的焦點。「象」思維包括「象」思維模型和「象」思維方式，簡稱為「象模式」，該模式是易醫會通的焦點。

易醫學（東方醫學）採用的是「模型論」思維方式，遵從「元氣論」和「天人合一」的哲學傳統，在「象」模型支配下，採用橫向、有機整合的方法認知生命，形成並遵從「元氣論」的傳統。中醫在看待人的生命時，從「氣」入手，「氣」既是生命的最小物質，又是生理動態能。「氣」的生命體現必然導致整體性、功能性、直覺性、程式化的方法論。「氣」是中醫學的最基本模型，也是一種「象」。如前所述，氣—陰陽—五行—天人—象數模型是中醫學的思維模式。中醫遵循這一思維模式，一開始就沒有走向機械、分析之路。[1]

西醫學（西方醫學）採用「原型論」的思維方式，遵從「原子論」和「二元對立」的哲學傳統，採用分析、實驗還原的方法認識人體生命。西方傳統認為原子是世界本原，有限、有形

---

[1] 何敏、張繼主編：《易醫會通研究》，南京：南京大學出版社，2014 年，第 22 頁。

的原子構成物質及其運動，運動的根源在原子的外部，原子與原子之間是間斷的、虛空的，要認識「原子」，必須採用分析、還原的方法，由此發展出 17 世紀以機械自然觀為背景的西方近代實證醫學。

易醫學與西醫學思維方式的差別，學術界有「元氣論」與「原子論」、「整體論」與「還原論」、「系統論」與「分析論」、「功能論」與「結構論」等觀點，我們認為中醫學與西醫學思維方式的本質差別是「模型論」與「原型論」的差別。中醫學和中國傳統生命科學採用的是「模型論」思維方式，即從功能模型、關係虛體出發建構人體生命系統；而西醫和現代生命科學採用的是「原型論」思維方式，即從解剖原型、物質實體出發建構人體生命系統。

按照現代實驗科學的評價體系，中醫理論基礎存在一些缺陷，它較多地通過「取象比類」思維方式來完成疾病診斷和辯證施治，未能對思辨原理進行現代科學的有效檢驗，尤其是經絡學說、藏象學說，很難與現代實驗科學取得一致的發展方向，存在許多神秘性因素，故而曾經被當成「偽科學」予以批判。不過，必須指出的是，用西方實驗科學的標準評判以《易經》陰陽學說為基礎的中醫學，這正如以打籃球的標準去評判打排球的狀態，不具備合理性。事實上，對生命疾病的治療並非只有實驗科學一個途徑，以易學辯證法為綱要的中醫學在處理疾病與環境的關係、解決心靈問題上可以發揮整體把握、

標本兼治的優勢。一旦學術界破譯了中醫學的傳統思維模型代碼，對其方藥配伍的奧妙有了深入的微觀認識，或將產生一場新的醫學革命。

90. 近年來關於易醫會通課題的討論有甚麼新進展？

21 世紀以來，關於易醫會通課題的討論有了新進展。其中，比較具有啟發意義的看法是：易學將太極陰陽理論與元氣說相結合，用以解釋宇宙存在及其相互作用與變化的規律，中醫也是建立在對這個規律的把握之上的。易醫會通統一在陰陽學說上。陰陽學說在本質上揭示了物質系統產生、發展、壯大、衰退、滅亡的過程。五行學說是陰陽轉換的一種細化，它揭示了自然物質系統中五種不同的運動形式及其陰陽關係。在陰陽五行學說的指導下，中國前賢領悟到精密儀器觀察不到的物質運動狀態，從而對事物的相互作用方式與本質擁有獨到的深刻認識。易醫會通理論承認物質在空間中的連續性、統一性、關聯性、有序性，凸顯了生命關懷價值，注重環境與生命過程的相互影響。開展易醫會通研究，就是為了更準確地了解和把握傳統醫學的「模型論」思維方式，將繼承與創新結合起來，推動中醫現代化和中西醫的有機結合。

第二節　易學與中醫理論

91.《周易》經傳是否論及醫療問題？如果有，其思想意義如何？

關於《周易》經傳的醫學思想內涵問題，學者們作過許多發掘與分析。概括起來，有如下幾方面值得注意：

一是《周易》卦爻辭裡的確存在關於疾病與療治的記錄。

(1)《豫》卦六五爻辭：「貞疾，恆不死。」這是說，有了疾病，正確治療並且樹立堅定恆久的信念，就不會死亡。

(2)《遯》卦九三爻辭：「係遯，有疾，厲；畜臣妾吉。」這是說，逃遁時被雜物牽扯，行動不便，導致疾病加重；若有臣妾幫助，就會改觀。

(3)《兌》卦九四爻辭：「商兌未寧，介疾有喜。」這是說，多方切磋，形成了可行方案，疾病治療有了樂觀的效果。

(4)《艮》卦六二爻辭：「艮其腓，不拯其隨，其心不快。」這是說，腳肚子長久不動，連帶臀部也不能動，引起心理上的不舒服感受。

(5)《艮》卦九三爻辭：「艮其限，列其夤，厲，薰心。」這是說，腰部長時間不動，造成肌肉疲勞，好像肌肉撕裂一樣，這種感覺反映在心理上好像火焰熏燒一般。[1]

1　參看何敏、張繼主編：《易醫會通研究》，南京：南京大學出版社，2014 年，第 141 頁。

　　二是《周易》為先民的疾病治療提供了方法論指導。

　　例如《泰》《否》《損》《益》等卦，分別闡述陰陽對立面的排斥與統一、陰陽對立面的相互轉化哲理，對中醫藥學的影響很深，成為中醫藥文化中的重要思想方法。

　　《周易》經傳作為中醫學的思想基礎，影響到了中醫學的臟腑學說、經絡學說、生理與病理學說。《周易》的卦象思維被後代醫家所繼承和發揮。例如張介賓《易醫義》以卦象為大綱，分析疾病成因與療治：「泰為上下之交通，否是乾坤之隔絕，既濟為心腎相諧，未濟為陰陽各別。大過、小過，入則陰寒漸深，而出為症瘕之象。中孚、頤卦，中如土藏不足，而頤為膨脹之形。剝、復，如隔陽、脫陽。夬、姤，如隔陰、脫陰。觀是陽衰之漸，遯藏陰長之因。」認為疾病的各種情況均可以卦象陰陽來觀照。「欲賅醫易，理只陰陽……總不出於一與二也。故曰天地形也，其交也以乾坤；乾坤不用，其交也以坎離。」[1] 以卦象分析了病症的臨床表現，也即疾病的症候。

　　《黃帝內經》以五行的生剋說明疾病的病理變化。張介賓進一步用《周易》經傳卦象加以解釋，如「離火臨乾，非頭即藏；若逢兌卦，口肺相連；交坎互相利害，入東木火防炎；坤、艮雖然喜暖，太過亦恐枯乾；坎為木母，震、巽相便，若逢土位，反剋最嫌；金水本為同氣，失常燥濕相干；坤、艮居中，

<hr />

1　張景岳：《類經圖翼》附翼卷一《醫易義》，《文淵閣四庫全書》本。

怕逢東旺，若當乾、兌，稍見安然」[1]。

易具醫之理，醫得易之用。人們企圖改變天地自然規律是不可能的，但卻可以在一定條件下改變人身的陰陽變化。如果將《周易》經傳所闡述的變化規律和中醫學相對照，就會發現《周易》經傳中的所有爻象、卦象、物象、意象都包含了中醫學的基本道理。易學揭示的是「天地之道」，即關於世界的一般本質和規律；中醫學揭示的是「身心之道」，即關於人體生命的特殊本質和規律。易學普遍規律對中醫的診斷分析和醫療實踐具有一定指導意義，而中醫的診斷分析和醫療實踐又對易學所揭示的普遍規律具有闡釋、佐證和深化作用。從幾千年的臨床實踐看，中醫遵循《周易》經傳的「卦象」思維而進行的辯證施治，取得了令人滿意的療效，至今仍有不可替代的優勢。

92. 易學影響中醫理論主要體現在哪些方面？其價值何在？

易學影響中醫理論主要體現在：

（1）氣—太極。

我國上古時代，就已有「氣」的概念。到了戰國時期，「元氣」學說逐漸流行，成為表徵萬物本原的重要理論基礎。明朝

---

1 張景岳：《類經圖翼》附翼卷一《醫易義》，《文淵閣四庫全書》本。

宋應星更有專門的《論氣》一書，認為宇宙本源為「氣」（即「元氣」的簡稱，古用「炁」字）。其中《氣聲》篇說：「盈天地皆氣也。」[1] 該篇進一步指出動物、植物、礦物皆「同其氣類」，生物與非生物之氣的本質雖然一樣，但其衍生的形態、功用卻有所不同。煉氣養生注重的是攝取生物、植物的清新之氣，以培補自身精氣。

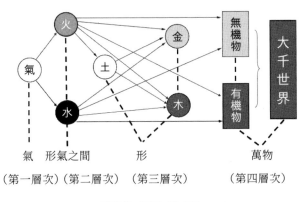

萬物生成演化模式圖

古人以為，萬物的存在是「由『氣』而化『形』，『形』復返於『氣』」的形氣互變關係。宋應星《論氣‧形氣》篇說，「以為形矣而有氣」，相反則「以為氣矣而有形」。中醫看人之氣色，與氣功的發氣治病，都是調動和利用氣與形之間的消長轉

1　詳見 [明] 宋應星：《宋應星學術著作四種》，南昌：江西人民出版社，1988 年。

化，實際上就是運氣。例如，水火二氣「既濟」而形成土，再通過土而形成金木，然後逐步演變成萬物，一方面是土石金屬礦物等生成無機物，另一方面是從土中攝取養分而生長植物，形成有機物。如圖所示，其「二氣五行之說」有四個層次的演進過程（氣─形氣之間─形─萬物），比較完善地展示了萬物生成演化模式。

傳統的「元氣」說與太極理念關係極大。從某種意義上看，可以說「氣」聚而成太極，太極之虛返歸元氣。太極表述的內容頗為廣泛，是無所不容的，宇宙中任何層次的事物都可以用太極學說進行解析。太極學說展現給你一張圖，如果沒有這方面的知識，當然無法把握其精神。然而，一旦有了《易經》卦象的媒介，就知道它是無所不容的文化表徵。初看起來，它似乎甚麼都沒說，但事實上卻告訴我們宇宙的基本形式內涵，告訴我們宇宙中所有事物生、長、壯、老、已的變化規律。[1]

如前所述，這張古太極圖是東方前賢流傳下來的。邵雍說：「伏羲之易，初無文字，只有一圖

古太極圖

1　參見謝文緯：《兩部天書的對話：〈易經〉與 DNA》，北京：北京科學技術出版社，2006 年，第 19 頁。

寓其象數。」[1]照邵雍的看法，伏羲所作先天八卦根於太極圖，伏羲仰觀俯察和各種體會，才畫出八卦來。八卦後來又被演化成六十四卦，作為《周易》的核心內容流傳甚廣。

（2）太極—陰陽。

《周易・繫辭上》說：「易有太極，是生兩儀，兩儀生四象，四象生八卦。」所謂「兩儀」就是陰陽，由此而有太陰、太陽、少陰、少陽，謂之「四象」，由四象兩兩相重而有「八卦」。

《易經》八卦作為一種符號體系，可以表徵宇宙間的萬事萬物，人體生命當然也在其涵括的範圍之內。八卦作為最基本的符碼，通過陰陽演繹，形成了天地定位，並演化變通，於是有了先天八卦與後天八卦兩大圖像體式。這種圖像體式可以用來表徵人體生命現象。如果說八卦對生命體的表示可以稱作「生命八卦」的話，那麼通過對應與變通，就可以邏輯地推演出「先天生命八卦」與「後天生命八卦」的概念。如何理解這樣的生命符號表徵呢？

第一，先天八卦與生命的關係。

所謂「先天生命八卦」乃是對未出生生命的一種符號表徵。這就是說，生命在娘胎裡的狀態，可以通過先天八卦的陰陽關係來呈現。在經卦裡，每一卦三爻，其陰陽爻象的構成是不同的：乾卦三爻純陽；坤卦三爻純陰；其他六卦為子女卦，

1　[宋] 朱熹：《晦庵先生朱文公文集》卷三十八，《四部叢刊》本。

爻象或一陰二陽,或二陰一陽,陰陽爻的排列位置各有變化。

先天生命八卦圖

從先天八卦的圖像上可以看出,當對應雙方構成一條連線時,陰陽爻的總和都處於「零」的狀態:

$$乾 + 坤 = (+3) + (-3) = 0$$
$$坎 + 離 = (-2 + 2) + (1 - 1) = 0$$
$$兌 + 艮 = (-2 + 2) + (1 - 1) = 0$$
$$震 + 巽 = (-2 + 2) + (1 - 1) = 0$$

這裡的「零」首先表示先天狀態下,陰陽是平衡的,看起來是平靜的,故而古人以先天為「體」,體靜而不動。然而,生命體並非真的完全靜止,「零」只是陰陽正負交感達到了一個中

和程度，此所謂「太極未分」，陰陽一體。

以上式子，其和都是零，體現了先天八卦的對立統一關係，陰陽兩兩之間既對立又互補。[1]

第二，後天八卦與生命的關係。

所謂「後天生命八卦」，就是生命體誕生之後的八卦符號標示。人從娘胎裡誕生出來後，原有的靜態平衡即被打破，此所謂「靜極而復動」。

後天生命八卦圖

我們看後天八卦，除了心位的「離」和會陰的「坎」可以互補之外，其他諸卦的陰陽都不能互補。就「震」和「兌」而言，雖然「震」是兩個陰一個陽，「兌」是兩個陽一個陰，但是「震」的兩個陰是在上面，而「兌」的兩個陽卻在下面，這是不

1　參見互子：《易道中互》，廣州：花城出版社，2009 年。

同位的，不同位就不平衡。其他兩個對應組，即「坤」與「艮」、「乾」與「巽」，不僅陰陽卦爻不對等，而且不同位，由此有了陰陽的激蕩。

後天八卦表示宇宙萬物的矛盾運動，當然也包括了生命體的矛盾運動。按照「易醫會通」的精神，生命體遵循後天八卦陰陽矛盾運動，必將呈現由小到大、由弱到強的「生老病死」過程，這是不可抗拒的自然規律。但是，如果能夠領悟易學的轉換原理，由後天八卦回歸先天八卦，處理好生命個體與環境的陰陽平衡關係，那麼延緩衰老，甚至返老還童不是完全不可能的。歷史上有不少修行者，諸如道教正一派創始人張道陵，淨明道祖師許遜，金丹派傳承人張伯端、陳楠、石泰、薛道光、張三丰等都享年百餘歲，就是例證。

（3）陰陽—五行。

陰陽是五行的綱要，五行是陰陽的變通。陰陽五行理論在《黃帝內經》中被廣泛運用於說明人體生命的功能結構、病理變化以及疾病的診斷與治療。易學的氣—太極—陰陽—五行象數模型為建立中醫學作出了巨大貢獻。許多學者認為，以易學陰陽五行理論為基礎的中醫學，很可能成為解決未來科學統一性的一個起點，易學、中醫學綜合「天地人合一」的系統方法論很可能是探討宇宙—人體統一性規律的根本方法，這將引發一場新的科技革命。從這個意義上說，易醫研究直接關係到中國傳統文化現代價值的重新確認。

93. 近年來出現了許多易醫會通療法，諸如「時間療法」「易數療法」「易樂療法」等，如何評估其價值？

（1）時間療法。

中醫時間療法有着悠久的歷史。它的形成除了與易醫對人體生理病理診斷治療的研究認識水平有關以外，還與古代天文、曆法的發展水平密切相關，特別是和《易經》的「天人相應」哲學思想分不開。古代先民認為，人和天地、自然都來源於氣，受到陰陽、五行規律的支配，因此人和自然具有相通或相類的關係。《黃帝內經》還把掌握時空觀納入了評定醫生醫術水平的標準之中：「上知天文，下知地理，中知人事，可以長久，以教眾庶，亦不疑殆，醫道論篇，可傳後世，可以為寶。」這些論述既體現了「易醫會通」的基本精神，也提供了「時間療法」的要領。

關於「時間療法」的機理與具體操作，中國古代醫書有不少記載。如《黃帝靈樞·順氣一日分為四時》說：「夫百病者，多以旦慧、晝安、夕加、夜甚。」講明了病況在一天的變化情況。基於觀察與經驗，古代醫書多有涉及人體生理、病理與晝夜節律、七日節律、四季節律、年節律問題。依據時間節律理論，中醫在診斷治療方面創立了子午流注療法和靈龜八法。

第一，子午流注療法。「子午流注」是關於人體內氣流轉的一種表述，而子午流注療法就是按照內氣流轉規律而採取的治療方法。

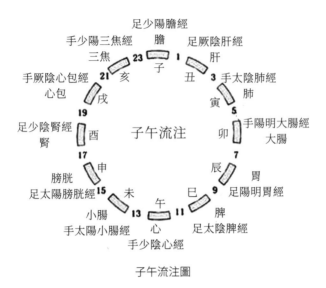

子午流注圖

「子午流注」，以子午言時間，以流注喻氣血。子午，表示時間演變過程中陰陽消長的情況。流注，喻人體氣血運行，有如流水灌注。以一天分為十二時辰，一個時辰分屬一經。中醫針灸根據人體時辰節律取穴治療，也有根據人體時辰節律用藥治療的。比如說，在卯時和酉時這兩個時辰，是陰陽平衡的時候，應該沒有甚麼大問題，但是有陽虛或陰虛的病人，就會有問題了。這是為甚麼呢？比如卯時，為早晨 5—7 點鐘，天剛亮的時候。本來，正常人在這個時辰裡的陰陽是平衡的，但陽虛的人卻並非如此。此類陽虛者到了卯時就表現出症狀 —— 拉肚子，這叫「五更泄」，每天早晨天未亮之前即腸鳴泄瀉，所以也叫「晨泄」。致病原因主要是腎陽虛，命火不足，不能

溫養脾胃，所以也叫「腎泄」。平時飲食可適當補充改善畏寒體質的食物，如羊肉、狗肉、蝦、韭菜、栗子等。與此同時，煲湯時適當放一點胡椒，炒菜稍微放點辣椒和生薑，都有利於驅寒保暖。用藥把陽補上來了，陽和陰平衡了，拉肚子就好了。上午的時候，陽長陰消，藉助這個天機，補給溫陽之藥，就比在其他時候給藥效果要好；相反，傍晚時分，陰長陽消，在這個時候補給養陰之藥，效果就比其他時刻要好。十二時辰療法，類似於藉助外環境氣場，為人體注入適宜的能量。如治療腎病，選用酉時，即如打仗獲得外來援兵，敵我交戰，我方兵力大增則可殲敵無數，自然就可以獲得最後的勝利。所以，用好晝夜節律，對我們的健康非常重要。

第二，靈龜八法。這是運用八卦原理推導演算奇經八穴「開闔」的一種治療方法。

作為時間療法的重要組成部分，靈龜八法以八穴歸八卦，就是以八個穴位納入八卦系統的陰陽、五行、干支、術數、方位等全息信號，以溝通人體與整個大自然的聯繫。這一療法全面地運用了易經的「天人合一」理論，是易醫會通的光輝典範。

易醫時間療法採用整體觀察的方法，側重於人體節律的把握和臨床應用，對疾病的診斷與治療具有重要的實踐意義。這類療法強調依據一生節律、年節律、月節律和晝夜節律特點而因時因地因人制宜，往往可以獲得更加滿意的臨床療效。

比如，「冬病夏治」方法就是從古代「春夏養陽，秋冬養陰」的四季養生基礎上不斷發展和總結出來的臨床治療方法，至今仍受到廣泛的認可和運用。展望易醫時間療法的前景，還是很樂觀的。在全面汲取傳統醫學精華基礎上，引入現代科學研究方法，將使易醫時間療法理論與實踐獲得相應的發展和提高，煥發新的活力。

（2）易數療法。

易數療法即八卦象數療法，簡單說，就是患者通過默念一組按易醫之理排列的八卦象數而達到治病健身目的的氣功療法。這種療法自古有之，它遵循「法於陰陽，合於數術」的精神，以中醫藏象理論為基礎，以八卦象數為傳遞信息的媒介，形成一種簡單易行的操作法度。

深奧的「宇宙代數學」——八卦象數，包括八卦的象與數。八卦的象與數密不可分，實為一體。所謂「象以定數」「數以徵象」，一部《周易》全在象與數。《周易》以象數組成符號和公式，它是易學最古老的語言，用以說明宇宙間的自然現象及社會現象，是天道、物道和人道的縮影。因此，八卦象數必然儲備豐富的宇宙信息。既然如此，就可以通過默念，把載有豐富宇宙信息的易學象數轉化為人體內具有一定能量的次聲波，從而調節人體的生理病理狀態，變無序為有序，使人體生物場、宇宙引力場與地球磁場協調共振，以達治病健身之功效。當患者默念一組八卦易數的時候，會形成具有一定能量的

信息波，這些信息波從大腦向體內各臟腑全方位輸出，喚醒、激活、發動各臟腑和細胞中的相應能量，完成兩項任務：一是整體功能的調節；二是向局部「病灶」衝擊，使「病灶」部位結構從無序轉化為有序，從而使人體經絡通暢、陰陽平衡、氣血調和，達到治病健身之目的。

　　「太極生兩儀，兩儀生四象，四象生八卦」，這一過程自然就形成一個次序，表現為先天八卦之數是：乾为一，兌为二，離为三，震为四，巽为五，坎为六，艮为七，坤为八。易數療法，首先體現的即是先天八卦象數與人體的對應關係[1]：

先天八卦象數與人體經絡、部位對應表

卦名	序數	五行	屬性	自然	人體
乾	1	金	健	天	督脈、腦、頭部、頭骨、顏面、頸、胸部、右足、大腸、脊椎、右腿、骨骼、右下腹（主元氣）
兌	2	金	悅	澤	手太陰肺經、手陽明大腸經、頭部外傷、口、肺、右肩、臂、牙齒、舌、鼻、咽喉、氣管、咳嗽、痰涎、氣喘、呼吸系統、臉頰、右肋、大腸、肛門、外傷、氣虛、尿道口、皮膚等疾病
離	3	火	附	火	手少陰心經、手太陽小腸經、口、舌、咳嗽、痰涎、氣喘、呼吸系統、臉頰、右肋、肛門、外傷、氣虛、尿道口、血壓低、皮膚病、頭部外傷

1　楊騰峰：《易醫》，台北：商州出版社，2015年，第209頁。

（續表）

卦名	序數	五行	屬性	自然	人體
震	4	木	動	雷	手厥陰心包經、手少陽三焦經、肝臟、筋、爪、左肋臂、婦科、腿足、脅肋、外傷痛、燙傷、貧血、聲帶、神經、嘶啞、消化系統
巽	5	木	入	風	膽經、肝經、肝、膽、股、肱、左肩臂、頭髮、感冒、頸骨痛、哮喘、血管病、神經、胸、食道、腸道、淋巴系統、前額
坎	6	水	陷	水	足太陽膀胱經、足少陰腎經、膀胱、而、耳、背脊、腰、骨腰背痛、津液、腎、膀胱、尿道、血液、出血性疾病
艮	7	土	止	山	足太陰脾經、足陽明胃經、男生殖器、脾胃、消化不良、顴骨、鼻、乳房、手、指關節、肩、腰關節、腫瘤腫脹炎症、癌、痘、結石、左足、足背
坤	8	土	順	地	任脈、生殖泌尿器疾病、消化系統疾病、行氣、散併、調節三焦、新陳代謝疾病、心肺疾病

　　有先天，就有後天。先天八卦是天地自然之象的模擬，後天八卦則是宇宙萬物運動的摹寫。先天八卦的理論核心是描述宇宙的存在狀態，即乾天為陽，坤地為陰。陽氣由震、離、兌而升，至乾而極；陰氣由巽、坎、艮而降，至坤而極。後天八卦的理論核心是揭示萬物的變化，彰顯事物諸多因素的生剋制化。故先天八卦與後天八卦的功能關係是「先天為體，後天為用」。只有先天而無後天，就沒有變化；只有後天而無先天，就沒有根本。二者統一於陰陽五行，易數療法蘊含了這一先天

與後天的體用關係。

易數療法也需要辯證施治、取數配方。遵循「八卦為體，五行為用，比類取象，以象定數，辯證施治，平衡陰陽」的原則，易數療法採用先天八卦數「一、二、三、四、五、六、七、八」進行默讀。與此同時，取「零」作為配方。對應於阿拉伯數字為：1、2、3、4、5、6、7、8。這八個象數的讀法與平常的數字發聲完全一樣。配方中有 0，仍讀零。如3810，讀作三八一零。

象數配方有多種形式。較簡單的配方是一元結構，如 650或 30；較複雜的配方則是二元或三元結構，如 650‧30 或者650‧30‧820 等。象數配方中「元」的組合，一般依據「母子補瀉法」，即需要補或瀉時，其象數一般組合在一個「元」內；平補平瀉時，其象數則單獨置於一個「元」內。如肝血不足，可配方為 640，為水生木，以補肝血；如肝氣鬱（實），可配方為 430 或 4300，為木生火，以瀉肝鬱；介於虛實之間，需要平補平瀉，如股痛，可配方為 50 等。各元中間用圓點隔開，默念時稍停頓。

易數療法配方見下表[1]：

1　楊騰峰：《易醫》，台北：商州出版社，2015 年，第 211 頁。

八卦象數療法參照表

病痛	數碼組	八卦象數治療
無病養生保健	念 015830	1【乾】督脈主壯陽。 5【巽】肝膽經主疏泄。 8【坤】任脈滋陰，主脾胃。
心情不好	念 35000	3【離】為心。 5【巽】為肝膽。
手腕痛	念 00072000	7【艮】為手，關節。 2【兌】為外傷。
坐骨神經痛、腰痛	念 7640，07640，或 000764000	7【艮】為腰痛。 6【坎】腎經膀胱腰骨。
下肢關節扭傷、炎痛	念 000743000 或 000743	7【艮】治關節痛。 4【震】為腿足。 3【離】治外傷。

在象數配方中，0 正如「甘草」一樣，具有特殊的內涵與功能，故使用很普遍：古人用「0」表示太極之元氣渾然之象；若沒有太極「0」這個無形之氣的牽制，八卦也就不存在了。因此，它是象數配方中不可缺少的。臨床體驗表明，0 的基本功能是強化信息波的能量，以通經氣、調陰陽。一般地說，並列 0 的個數為偶數者偏滋陰，並列 0 的個數為奇數者偏溫陽；0 位於象數前者稍顯偏陰，後者稍顯偏陽。

與現代醫療形成鮮明對比的是，易數療法不用藥物，不用器械，通過默念八卦象數，針對性地把體內某一部位失衡的陰陽重新調回到平衡狀態。該療法簡單易行，故而有人稱之為「無形的中藥，不動之氣功」。

對於這種療法，站在不同角度，會有不同的認識和評估。我們不贊同將之說得神乎其神，但也不主張徹底否定。從精神調劑的方面看，默念某種數字，至少可以達到集中注意力，從而忘記牽掛，紓解緊張，緩和病痛的效果。

（3）易樂療法。

元代朱丹溪云：「樂者，亦為藥也。」東方易樂中所言五音六律，乃天地之合氣所成。大量研究發現，這些音律與人體生物頻率有着密不可分的關係，但人之共性不能代替個性。根據個體生命時間節律及人體氣場、陰陽五行、干支數理，結合易理、醫理，找出人體生命音階和病理音階，也找出天地間陰陽二氣相搏、相摩、相撞、相合產生的音律，用不同質之樂器演奏發出五聲，依據「同氣相求」「同聲相應」之易學原理與人體五臟六腑引起諧振，應用「削其太過，補其不足」的易醫會通之理，達到保健、療治之目的，就是易樂療法。

在具體操作上，易樂療法通過角、徵、宮、商、羽五音與五臟五行的屬性關係來選擇曲目，對人體進行調養治療。

第一，角調式樂曲。

角音，通肝膽之氣，由舌部發出。其特點是：構成了大地回春，萬物萌生，生機盎然的旋律；曲調親切爽朗，生氣蓬勃，如暖流溫心、清風入夢，具有「木」之特性，可入肝；主要調節神經系統，對內分泌系統、消化系統也有調節作用。此類樂曲包括《春之聲圓舞曲》《藍色多瑙河》等。

第二，徵調式樂曲。

徵音，通心和小腸之氣，由齒部發出。其特點是：旋律熱烈歡快、活潑輕鬆，構成層次分明、情緒歡暢的感染氣氛，具有「火」之特性，可入心；主要調節循環系統，對神經系統與精神系統也有調節作用。此類樂曲包括《步步高》《狂歡》等。

第三，宮調式樂曲。

宮音，通脾胃之氣，由喉部發出。其特點是：風格悠揚沉靜、淳厚莊重，有如「土」般寬厚結實，可入脾；可調節消化系統功能，對神經系統、精神系統也有一定作用。此類樂曲包括《春江花月夜》《月光奏鳴曲》等。

第四，商調式樂曲。

商音，通肺和大腸之氣，由腭部發出。其特點是：風格高亢悲壯、鏗鏘雄偉，具有「金」之特性，可入肺；可調節呼吸系統功能，對神經系統、內分泌系統也有一定影響。此類樂曲包括《第三交響曲》《悲愴》等。

第五，羽調式樂曲。

羽音，通腎和膀胱之氣，由唇部發出。其特點是：風格清純，悽切哀怨，蒼涼柔潤，如天垂晶幕，行雲流水，具有「水」之特性，可入腎；主要對泌尿與生殖系統有調節作用。小提琴協奏曲《梁祝》《二泉映月》等中國式的吹打樂，可歸入羽調式音樂。

與易數療法一樣，易樂療法也不需要打針、吃藥，只需要調樂施治，通過五音的組合與變通形式，調動人體正能量，提高人體免疫力，對人體沒有任何毒副作用。當然，易樂療法不是萬能的，它作為輔助性療治或者平日的養生是可以的，但卻不能替代其他藥物治療等。若病灶明顯，需要及時進行藥物治療就必須用藥，要遵醫囑，不可盲目，以免造成失誤。

第三節　易學與養生文化

94. 甚麼叫「易學養生」？有何文化理論體系？

「易學養生」指的是以易學思想為指導的養生理論與養生實踐。其思想要領是：順應自然環境、四時節氣變化，主動調整自我，保持人與自然、社會的和諧，遵循易學象數，頤養身心、增強體質、預防疾病，從而延年益壽。

易學養生博大精深，內容豐富多彩，具有多種流派、多個方法，如「時辰養生」「易數養生」等等，古往今來，一直被眾多仁人志士不斷實踐和研究。然而，這些研究至今未有清晰的理論體系，缺乏深度，這在一定程度上影響了養生學的傳播和發展。因此，在前人研究的基礎上，對易學養生學進行歸納、總結，建立理論體系，對易學養生學的實踐、發展都有積極意義。元代易學家俞琰說過：「人受沖和之氣，生於天地間，與天地初無二體。若能悟天地橐籥之妙，此心沖虛湛寂，自然一

氣周流於上下⋯⋯自可與天地齊其長久。」[1] 易學本身體現的是宇宙大規律，它所蘊含的養生智慧，重在探究生命的本質，從根本上追尋適合個體的養生方法。

易學養生有一個以「道、理、法、術」為構成要素的文化理論體系。

易學養生以「道」為本原，此與道家之「道」相通，講究「道法自然」。道存在於天地間，存在於生命運動中。雖然養生可以有千法萬術，但最根本的是要合乎自然。

易學養生講的「道」，存在於人們生活之中，此所謂「道不遠人」。另一方面，「道」是養生的最終體現，人們在養生過程中，實踐「道」的要求，最終合於「道」，合乎自然。相反，背離了「道」，人則生病患疾，此所謂「人自遠（離）道」。

易學養生以「理」明「道」，揭養生之秘「理」。理是用來解釋說明養生之道的，也是闡述養生方法、原則的理論。如「天道循環」「整體觀念」「平衡陰陽」及藏象理論、經絡學說等等，均是闡明養生之「道」和養生機理，使人們知其然，更知其所以然。

易學養生以「法」演「理」，將養生理則演化為養生範式，使之成為某類養生操作技術或養生實踐的指導性原則，為日常生活服務，如「起居有常」「飲食有節」「動靜適宜」等要求。

1　[宋] 俞琰：《周易參同契發揮》卷上，明刻本。

「法」體現養生之「道」，為養生實踐指明方向。

易學養生之「術」是養生的具體操作技術，體現為一定的操作程序、步驟、過程。大家所熟悉的導引、禹步、內丹等，皆屬此類。禹步，又稱步罡踏斗，是以後天八卦為依憑展開的動態修養功夫。路時中《無上玄元三天玉堂大法》卷十九《三五步罡品》云：「夫步罡者，飛天之精，躪地之靈，運人之真，使三才合德，九氣齊並……九步象九靈萬罡之祖也。」「凡步星之際，先運出三元五行之神，然後躪履也。」內丹綜合應用易理象數，集結太一、爐火、黃老等精神要旨，將九轉神丹的靜態煉養與納甲象數的時節應用有機統一起來。

總體而言，任何一種易學養生功夫，都在一定程度、一定層次上統合了「道」「理」「法」「術」。從這個角度說，沒有不含「道」「理」「法」「術」的易學養生實踐。具體到養生活動中，人們不能為了「術」而追求「術」，而應在通其術的過程中，進一步知其法，曉其理，明其道。以「道、理、法、術」為構成要素的易學養生文化蘊含着先民的健康智慧，這種健康智慧經歷了千百年的生活檢驗，被證明是有實際效果的。當下正在實施健康中國計劃，繼承與發揚這份文化遺產，相信對於個體健康、家庭健康、社會健康是有裨益的。

當然，我們強調易學養生文化的傳承與發揚，並非意味着固步自封。正如傳統中的其他技藝需要現代化一樣，易學養生文化也應該與現代科技接軌，借鑑現代科技方法，尋求理論上的新突

破。對養生理論的研究，不能僅僅滿足於陰陽五行、藏象經絡、氣血津液的傳統解說，不能單純應用直觀、思辨、猜測的方法應對現代的需要，而應採用科學的思維、方法、技術手段，使養生理論有創新性發展，為全面提高我國養生保健水平服務。

95. 易學為養生實踐提供了甚麼指導性原則？如何在實際生活中貫徹落實？

易學養生原則強調：每個人都是個性的存在，養生也要量身定做。比如，人出生的地點、時辰，影響個體的先天體質；天道循環，決定了養生也要周而復始；養生要順應四時，遵循節氣變化；好宅住出好心性。

進行易學養生首先要準確地判斷自己屬於甚麼體質，這可以從「天地人」這三個方面來進行甄別。

第一，天時。天時影響人的體質。人跟人體質不同，究竟根源在哪兒？首先就是個人出生的時間，其中蘊含着人生密碼[1]。

第二，地利。所謂「一方水土養一方人」。

第三，人體。主要是指遺傳基因，它是個體養生之鑰匙。

根據「天地人」三方面因素，易學養生概括起來有以下原則：

---

1 洪丕謨、姜玉珍：《中國古代算命術》，上海：上海三聯書店，2006 年，第 93 頁。

（1）天道循環；

（2）平衡陰陽；

（3）整體觀念；

（4）順天應人；

（5）飲食有節；

（6）起居有常；

（7）動靜適宜。

易學養生原則來自於人們的養生實踐。易學養生之「道、理、法、術」文化體系，可提煉為「天道循環」「平衡陰陽」「整體觀念」「飲食有節」等養生原則。其中，「飲食有節」應特別加以強調，貪吃、管不住自己的嘴巴，往往最先「被上天請走」，所以控制自己的飲食，不過量，是尤其應該牢記的。

96. 四季養生、風水養生、內丹養生的易學機理是甚麼？

先說四季養生的易學原理。

四季養生，意味着應按春、夏、秋、冬的季節變化來調整生活節奏，調理身心性情。春生、夏長、秋收、冬藏，不僅僅是自然萬物隨時令節律變化的實然存在，也是人們健康養生的應然作為。四季變化，產生不同的氣場；人與萬物，皆生存於這變動不居的氣場之中；季節不同，養生方法亦有所不同。一

句話，四季養生也就是因時制宜養生。[1]

《周易‧繫辭下》云：「天地絪縕，萬物化醇。」人由自然氣的物化而生成，自然界陰陽五行的運動，與人體五臟六腑之氣的運動是相互對應的。四季養生理論旨在指導人們：遵循春、夏、秋、冬四季變化規律，依照生、長、化、收、藏的時節次第，科學調整臟腑器官，實現陰陽平衡、強身健體、延年益壽的目的。那麼如何運用四季養生的理論呢？最重要的是遵循下列規律：

第一，陰陽運行的規律。「陽長陰消，陰長陽消」，一年四季，陰陽氣化。四季養生就要順應這個規律來進行，做到「春夏養陽，秋冬養陰」。

第二，氣機升降的規律。夏天是氣機升得最高的時候，冬天是氣機降得最低的時候。四季養生不能離開這一原理。

第三，天地開合規律。天地氣化有開有閉，養生就要隨其開而開，順其合而合。甚麼時候開？比如春分的時候就應該開。春天來臨，陽氣始生，天氣漸暖，白天漸長。隨春起陽，這就叫作「開天門」。到了夏天，大自然生機勃發，人的身體活力也趨於旺盛。到了秋天，大自然氣機逐漸關閉，即所謂「入地戶」。到了冬天，經過較長久的活動，萬物開始儲藏，

1　唐譯：《圖解易經養生大全》，新北：新文創文化事業有限公司，2013 年，第 177 頁。

進入蓄養狀態，為來年的春天作好準備。人也應該明白這個道理，注意在冬季蓄養，為來年儲備能量。

按照四季養生學說，生氣和春天對應人體肝臟，所以春天着重養肝；夏天對應人體心臟，所以夏天着重養心；秋天對應人體肺臟，所以秋天着重養肺；冬天對應人體腎臟，所以冬季着重養腎。天地氤氳，有開有閉，四季變遷，循環往復。遵循四季變化，調理生活節奏，大自然是我們的老師，我們的養生就學着大自然就行了。

再說風水養生的易學原理。

我們所處的生活環境是由三部分風水因素構成的。一是大環境氣場，也可稱為外環境氣場，包括周圍山脈、河流道路、建築、空氣溫度濕度、風雨雷電、季節變換等。二是中環境氣場，也可稱為局部環境氣場，包括動植物等。三是小環境氣場，也就是居處的宅舍。三個方面的因素對人體健康都會有直接或間接的影響。

風水養生的理論認為，氣是萬物的本源，太極即氣，一氣積而生兩儀，兩儀感通而五行俱備。萬物莫不得於氣，人也不例外。對於人而言，此「氣」細分之，有父母給予的先天真氣，也有後天吸入的氣體，包括空氣以及進食轉化的穀氣。

郭璞《葬經》云：「氣生乎地中，其行也，因地之勢；其聚也，因勢之止……氣乘風則散，界水則止。」由此可見，氣的行止是有脈絡可尋的。《葬經》還指出：「夫陰陽之氣，噫而為

風,升而為雲,降而為雨,行乎地中而為生氣⋯⋯生氣行乎地中,發而生乎萬物。」[1] 照此說來,所謂「氣」有陰陽兩個方面,陰陽感通,於是興雲降雨,氤氳變化,流行其間者無非一氣。

從易學角度看,氣的流行,乃是沿着河圖軌道,按 S 型路徑逐漸移動。有研究者指出,氣場的微波頻率從高變低,透入人體的部位是:皮膚→表層→深部→穿透。按中醫經絡學說,經絡存在於皮下的筋肉之間,這是人體之氣的通路,人體十二正經及奇經八脈均在這個層次。100—3000 兆赫的氣場微波,可以進入人體表層或深部。根據頻率與深度成反比的規律,就必須使頻率比 3000 兆赫再大些,實驗證明四千多兆赫比較合適。宇宙背景輻射的微波頻率是 4080 兆赫,正巧是人體所需。研究還發現,水是一種易於吸收微波能量的「極性分子」。根據傳統風水學的「四靈說」,住宅左有流水謂之青龍,右有長道謂之白虎,前有池塘謂之朱雀,後有丘陵謂之玄武,此為最貴之地。[2]

《周易・繫辭下》云:「近取諸身,遠取諸物。」環境氣場範圍可大可小。其大無外,其小無內。人身小宇宙,宇宙大人身。宇宙萬物一氣相通,人物互聯成網。《周禮・天官・疾醫》道:「陽竅七,陰竅二,與自然相通。」父母給的先天真氣、

1　[晉] 郭璞:《葬經》,《文淵閣四庫全書》本。

2　參見唐頤:《圖解易經養生:中國養生智慧的源泉》,西安:陝西師範大學出版社,2012 年。

後天呼吸之氣，以及通過飲食而獲得的水穀精微之氣，互相交合，它們的矛盾運動構成了錯綜複雜的人體活動。

風水養生把環境作為一個有機整體系統，這個系統以人為中心，包括天地萬物。風水養生就是要把握好各子系統之間的關係，包括人命與宅舍之間的關係，優化結構，尋求最佳組合。

風水養生非常重視各種環境氣場對人體健康的影響和作用及其調整和化解，運用「萬物皆有氣」的基本原理，採用各種方法調適和營造良好的氣場環境，保持和維護人體健康。

風水養生的易學原理就是運用八卦象數、河圖與洛書模型、陰陽五行的符號思維，對住宅的內外環境進行巧妙處理，這將有助於疾病預防與治療，尤其對許多慢性病更有獨到的治療效果。

最後說內丹養生的易學機理。

內丹養生是以外丹燒煉為象徵的一種養生形式。它的出現雖然稍晚於鉛汞合煉之類外丹術，但也源遠流長。根據《周易參同契》等書記載，內丹術至遲在戰國時代就已經流行，只是那時候未必使用「內丹」術語。漢代以來隨着制度道教的誕生，內丹成為道門修煉成仙的一種方技。內丹養生繼承傳統文化中有關天道、形神、陰陽五行的學說，並與道教的仙道貴生、形神相依、以德養生等思想相結合，落實於具體的修煉實踐中。內丹學認為，「天法象我，我法象天」，仙丹不必外求，人體自身就是爐鼎，人的精氣神就是藥物。運用神去燒煉，能

使人體內的精氣神凝聚不散,結成聖丹,此即內丹。道教把人的精氣神視為生命三寶,一首有名的道情叫《三寶歌》:

天有三寶日月星,地有三寶水火風,
人有三寶精氣神,善用三寶可長生。

按照內丹學的理論與經驗,人在高度入靜狀態下,可以昇華自我的精神境界。在內丹養生實踐中,內煉「精氣神」是關鍵。這裡的「精」是根本,「氣」是動力,「神」是主導,「精氣神」則生成人體賴以生存的能量流。這種能量流可以打通人體任督二脈和奇經八脈,達到陰陽平衡、健康長壽,乃至激發智慧。

北宋張伯端的《悟真篇》強調性命雙修,即以人體內部性能量作為基本修煉物質和生理基礎,積極開發人體性潛能與心理機能。就技術層面而論,則以大、小周天功法為其基本實踐方式,講究爐鼎、藥物、火候等三大要素,分「築基起鼎,煉精化氣,煉氣化神,煉神還虛,煉虛合道」這五個階次,循序漸進地展開。內丹養生實際上是調整自身的內分泌功能和激素水平,提升神經系統、呼吸系統和血液循環系統等的自我控制能力,使人的微循環系統發生變化,在人體深層建立起一套穩定的調諧程序,這套程序和宇宙自然節律相一致,能在高層次上參與自然能量、物質、信息的大循環。

內丹養生以易學的「三才之道」、象數法度為根本，綜合運用傳統醫學及生命科學理論，經實踐證明有益於人體健康，至今依然被人們所關注。

第十一章　易學與傳統術數

第一節　易學與靈棋課法

97. 靈棋課法的緣起與傳承情況如何？

靈棋課法是一種以棋子作為占卜工具，通過拋擲棋子得出卦象進行預測的古占法。「靈」即應驗，「棋」即十二顆棋子，「課法」意指其演占如課算之法。據《四庫全書》記載，靈棋課法的操作分為三大步驟：首先，按照「三經」法度製作十二枚棋子。「三經」擬分上中下三個等級，上為君，中為臣，下為民，每個等級各刻四枚棋子。棋子用霹靂木或梓木、棘木、檀香木製作，形圓，周尺一寸二分，厚三分。刻「上」字棋子四枚，「中」字棋子四枚，「下」字棋子四枚，合為十二枚。其次，拋擲十二枚刻有「上」「中」「下」字的棋子，按其數量排出卦象。最後，根據所得卦象，參閱《靈棋經》對應的占辭來解讀吉凶。如拋得二上三中一下，查《靈棋經》對應卦，書文為：

「憂喜卦，餘慶之象，陰居天位，兌澤正西。象曰：心有所憂，耿耿不寐，恐有患禍，而反福至，慶賀忻歡，大為吉利。」[1] 靈棋所得共一百二十五卦，《靈棋經》一書載有這一百二十五卦的卦象、卦辭，並有晉顏幼明、南朝宋何承天、元陳師凱及明劉基四家注文。

靈棋課法是《周易》占卜系統的一種延伸。古《周易》卜筮是以蓍草四營而成易，十有八變而成卦；卦成之後，對照《易經》卦爻象辭而預測吉凶。靈棋課法則棄揲蓍而代之以拋擲十二棋子，起課之法更為簡便。《靈棋經》文也按照《周易》經文，列卦名、卦象辭。《靈棋經後序》稱：

> 昔者聖人作《易》，以前民用。《靈棋》象《易》而作者也。《易》道奧而難知，故作《靈棋》以象之。《靈棋》之象，雖不足以盡《易》之蘊，然非精於《易》者又焉能為《靈棋》之辭也哉？[2]

靈棋課法起於何人？又是如何傳承的呢？歷來有多種解釋。一種觀點以為，靈棋課法有確切的作者。其中又有出自黃

---

1 ［漢］東方朔：《靈棋經》卷上，《四庫術數類叢書》第 6 冊，上海：上海古籍出版社，1991 年，第 216 頁。

2 ［漢］東方朔：《靈棋經》卷下，《四庫術數類叢書》第 6 冊，上海：上海古籍出版社，1991 年，第 266 頁。

石公、張良、東方朔、劉安等人的不同說法。如南朝宋時期的劉敬叔認為，《靈棋經》出自漢張良，其於《異苑》中記載：十二棋卜出自張文成，受法於黃石公，行師用兵，萬不失一。逮至東方朔，密以占眾事。自此以後，秘而不傳。晉寧康初，襄城寺法味道人忽遇一老公，着黃皮衣，竹筒盛此書，以授法味。其後，老公失其所在，而靈棋課法則由於法味道人的傳授而逐漸播衍於世。按此說法，十二靈棋卜法應由張良發明，其理論來源於黃石公，初用以行師用兵，後傳至東方朔，用以卜眾事。嗣後隱秘不傳多載，而至晉寧康年間傳至襄城寺法味道人，乃廣傳於世。《太平御覽》、宋代《類說》等皆同此說。現代流行本以明清刻本為主，多題東方朔撰。

另一種觀點以為，《靈棋經》不知所起。唐代李遠所作的《靈棋經》序言開篇提到：

> 《靈棋經》者不知其所起。或云漢留侯張良，受之於黃石公，能知未然事，以占時用兵出行，萬不失一。至漢武帝時，東方朔以覆射萬事，亦皆奇中，用此書也。若好事者，或以倚聲價，重其術，豈盡數公之為乎？[1]

《四庫全書總目提要》介紹《靈棋經》時說：舊題東方朔等人作

---

1 [唐] 李遠：《靈棋經序》，《四庫術數類叢書》第 6 冊，上海：上海古籍出版社，1991 年，第 198 頁。

《靈棋經》，其實「大抵皆術士依託之詞」[1]。《正統道藏》中的《靈棋本章正經》序言也有類似觀點。此種觀點以不確定的口吻質疑認為《靈棋經》出自張良等人的看法。

筆者以為，前者以為靈棋課法出於張良或東方朔等確切人物，並無實足證據，有待史料查證；後者雖然也是推測，但可能性較大，因這種質疑有一定道理。查《漢書》張良和東方朔的傳記，隻字未提「靈棋」一事。傳中所記東方朔覆射，用的是「別著布卦」，這是《周易》的卜筮之法，而非靈棋課法。如果靈棋課法為其所發明及傳授，何以不見於傳記之中呢？古人著書，依託前人之名也是常有之事。

儘管靈棋課法的作者未能確定，但其出現的大致時間卻可以定個下限。《四庫全書總目提要》考證《隋書·經籍志》記有《十二靈棋卜經》，又發現《南史》所載「客從南來，遺我良材、寶貨珠璣、金碗玉杯」[2]，實為經中第三十七卦象辭；經中之注出現東晉南朝的顏幼明，還有南朝宋何承天。如此相互印證，《靈棋經》在六朝以前就存在的結論是比較可靠的。

98. 靈棋課法如何體現易學的取象原則？

《易傳·繫辭傳》曰：「易者，象也；象也者，像也。」易

1　《靈棋經提要》，《四庫術數類叢書》第 6 冊，上海：上海古籍出版社，1991
　　年，第 197 頁。

2　同上。

學之象,有卦象、爻象,以及卦、爻象徵事物。對卦、爻從不同角度進行審視,則有不同之象,易學的取象方法亦呈現多樣性。一爻有一爻之象,可以爻位、爻性取象等;也有多爻組合變通之象,可由爻變、半象、互體、旁通、大象、卦體取象等。卦有經卦和別卦之分,經卦有三畫卦取象,亦有八經卦構成的先、後天八卦易圖取象;別卦有六畫卦取象,亦有六十四卦組合動變而成的卦變、方圓易圖取象。從爻到爻之間,再到卦,最後到卦卦之間,從小到大,皆有象存。這些取象之法,可歸為陰陽取象、三才取象、八卦取象、六十四卦取象等;又總而括之分為卦爻德性取象、卦爻象形取象。但無論何種取象法則,都最終體現類比的取象原則。一句話,易學的取象原則,就是通過卦與爻的德性象形進行推衍,以類比天地萬物。

靈棋課法仿《易》而作,並非全然遵循易學的取象法度。但是,我們發現,靈棋的製作、靈棋卦象的安排,以及卦象辭的解讀,或多或少體現了易學的取象原則。首先看靈棋的製作。十二顆靈棋採取三經四緯的方式。三經,以上為君,中為臣,下為民,這契合易學的三才取象之道。略為不同的是,易學三才取象是天地人,是對天地萬物的縱向劃分;而靈棋是對人世的縱向身份劃分。四緯,以一為少陽,二為少陰,三為太陽,四為老陰。易學講究「一陰一陽之謂道」,陰陽是事物變易發展的內在根源,陰陽兩儀分四象,即是老陰、老陽、少陰、少陽。靈棋課法亦以易學的陰陽四象為緯,當作靈棋的

內在德性根據。其次看靈棋卦象的安排。靈棋經卦之象，雖是通過拋擲而成，卻蘊含着易學卦爻的取象思想。易學卦爻，以德性看，是法天地自然之理；以形象看，是摹擬天地萬物之狀，仰觀俯察或揲蓍變化而成。靈棋一百二十五卦，由十二棋子拋擲所成，以此來問測吉凶，似乎只是概率問題，其科學性無法令人信服。但如果深入探析會發現，十二顆棋子並非隨意確立，而是根據三經四緯思想構建的。天地萬物、人生社會就是這麼一種三經四緯的存在。棋子是對天地萬物、人生社會的抽象的類比符號。用此符號來解釋當下所遇到的情況，可以給人提供一個參照系，在一定程度上化解一些謎團。《靈棋經》一百二十五卦，以《周易》八經卦為本，是八經卦的擴展。大通卦、得志卦、不耕卦等二十六卦歸乾卦統領；漸泰卦、富盛卦、事遂卦等八卦歸巽卦統領；樂道卦、惡消卦、得祿卦等八卦歸離卦統領；鬼災卦、小戒卦、粗諧卦等二十卦歸艮卦統領；益友卦、孤貧卦、憂喜卦等八卦歸兌卦統領；大同卦、得失卦、平安卦等八卦歸坎卦統領；神助卦、慎悔卦、福會卦等二十卦歸震卦統領；不諧卦、口舌卦、扶危卦等二十六卦歸坤卦統領；末為純陰鎧卦。之所以這樣劃分歸屬，是根據拋擲得出的卦畫陰陽組合來定的。比如，第九得志卦，一上三中一下，上為一少陽，中為三老陽，下為一少陽，上中下皆是陽畫，正是《周易》八經卦乾卦之象，故歸屬乾卦。所以，《靈棋經》中此卦下有小注「純陽有位，乾天西北」。最

後看靈棋卦象辭的解讀。吉凶解讀，是靈棋占卜的最終目的，也是整個靈棋課法最為關鍵的一環。能否準確解釋卦象，是靈棋能否「靈」最為重要的一環。因此，解讀的方式極為重要。靈棋卦象辭的解讀，運用的依然是基於易學陰陽三才之道的三經四緯思想理論和結構模式。例如第二十卦：「未還卦（群陰制陽，坎水正北）二上一中四下流竄之象。《象》曰：田荒土虛，人民遷居，待年之豐，乃歸故廬。」[1]《象》辭以田宅釋此卦流竄之象。此卦畫上二為少陰，中一為少陽，下四為老陰，兩陰夾陽，乃《周易》坎卦之象。田土、人民之辭，是易學三才取象——上天中人下地。何以形成田荒土虛，人民遷居，流竄之象呢？《靈棋經》解者以為：「此課陽陷於陰，而下位陰盛，故為田荒土虛、人民逃散之象。」[2]此卦上下皆陰，陰興至極，中陽孤弱，陽不能制，所以田荒人散。又何以「待年之豐，乃歸故廬」？經解者認為：「然下已老，不相求合，小人得志既極必衰，而少陰之在上者反與我比，所以終歸廬。」[3]關於經解者對《象》辭的解讀，如果我們不清楚易學陰陽取象原則，這是難以理解的，但若有易學取象基礎，則如春天之化冰。為甚麼說「群陰制陽」就會田荒人散呢？實際上，易學以陰陽歸

---

1 [漢]東方朔：《靈棋經》卷上，《四庫術數類叢書》第 6 冊，上海：上海古籍出版社，1991 年，第 213 頁。

2 同上書，第 213—214 頁。

3 同上書，第 214 頁。

納萬物屬性，取象陽進陰退，陽長陰消，陽大陰小，陽男陰女等。至於「少陰之在上者反與我比，所以終歸廬」，運用的是易學中陰陽同性相敵、異性相感的取象思想理論。遍觀《靈棋經》其他一百二十四卦經文，無一不充塞着易學的陰陽三才取象法度。如前引《靈棋經後序》所說：「《易》道奧而難知，故作《靈棋》以象之。《靈棋》之象雖不足以盡《易》之蘊，然非精於《易》者又焉能為《靈棋》之辭也哉？」[1]

99. 靈棋經辭是怎樣解釋卦性的？

卦性，指卦的基本屬性。《靈棋經》對一百二十五卦的卦性解說，呈現一種比較固定的模式。我們以第八卦為例進行說明。《靈棋經》：「第八小戒卦（陰盛剋陽，艮山東北），一上二中四下慎防之象。《象》曰：禍從下生，戒慎童僕，陰謀潛合，欲動手足。」[2]

首先，標明該靈棋卦歸屬《周易》八經卦中哪一統領卦。靈棋經文一般於卦名之後小注中明確卦象所屬。此例中，經文於小戒卦後注明「艮山東北」，即是說此第八卦歸屬艮卦，取象於「一上二中四下」，上一為少陽，中二為少陰，下四為老

---

1 [漢]東方朔：《靈棋經》卷下，《四庫術數類叢書》第 6 冊，上海：上海古籍出版社，1991 年，第 266 頁。

2 [漢]東方朔：《靈棋經》卷上，《四庫術數類叢書》第 6 冊，上海：上海古籍出版社，1991 年，第 207 頁。

陰，組合成《周易》艮卦象。

其次，高度概括此卦的象徵意蘊，表明此卦的主體狀態和發展趨勢。經文通常以卦名和卦畫之後的「ＸＸ 之象」文辭加以說明。此例中，小戒卦名和「慎防之象」，描述了第八卦的主體象徵。靈棋其他卦皆如此。如第二十五卦為憂喜卦，「餘慶之象」；第二十七卦為辟惡卦，「威德之象」；第二十九卦為衰微卦，「復興之象」；第三十二卦為病患卦，「計窮之象」；第六十七卦為方遂卦，「生成之象」；等等。卦名之後小注中簡潔言辭標明陰陽狀況，說明卦意依據。此例中，小注「陰盛剋陽」，說明小戒和「慎防之象」的原因。此卦畫中，上為陽，中下都是陰，尤其下四老陰，陽弱難敵盛陰，故稱為「陰盛剋陽」。

最後，回歸現實生活，發揮此卦象徵意蘊，比擬現實生活事物，預測吉凶。此例中，小戒卦《象》曰：「禍從下生，戒慎童僕，陰謀潛合，欲動手足。」《象》以現實生活主僕狀況來說明小戒和慎防之意。《象》之取象，不僅僅在於描述卦畫的陰陽狀況，而且對卦畫本身的象意進行發揮。根據以象釋象的方法，可以對《象》再作象的延伸，如何承天注曰：「行人遇盜。居者憂奴婢為害。聚會有口舌。求事不遂。病者為下人咒詛也。」[1] 何承天把此卦象意蘊應用到行人占、居者占、聚會占、

1　［漢］東方朔：《靈棋經》卷上，《四庫術數類叢書》第 6 冊，上海：上海古籍出版社，1991 年，第 207 頁。

求事占和疾病占等各方面。可見,《靈棋經》遵循其取象原則,通過類比方式和意象思維,可以盡情發揮。

第二節　易學與太乙、六壬、遁甲

100. 甚麼是「太乙式占」?如何形成與流傳的?其易學底蘊何在?《太乙淘金歌》基本內容是甚麼?

太乙,又稱太一、泰一。在中國古代文化傳統中,太一為天神貴者、天帝之別名,常居北極星,統領天上諸星神和人世。術數家根據古代的星象認識,發明了「太乙式占」,這是利用太乙式盤觀測人事的古老術數法度。它與六壬、奇門遁甲一起,成為傳統三大預測術。

太乙式盤是式占的工具。1977年安徽阜陽雙古堆汝陰侯墓出土了一些式盤,有人認為其中一種式盤(如下頁圖)疑似西漢初的太乙式盤。式盤分圓方兩盤:圓盤象天,故稱天盤;方盤擬地,故稱地盤。天盤嵌於地盤上,兩盤同軸相繫,天盤可旋轉占卜。天盤以四條直線八分圓面,貫通中央,形成九宮。圓周八宮配以「一、八、三、四、九、二、七、六」之數,一為君,三為相,七為將,九為百姓,中宮「招搖」為吏,配數為五。地盤依二分、二至、四立等八節氣劃分八方,依次刻有當者有憂(冬至汁蟄卅六日廢,明日),當者病(立春天溜卅六日廢,明日),當者有喜(春分蒼門卅六日廢,明日),當者

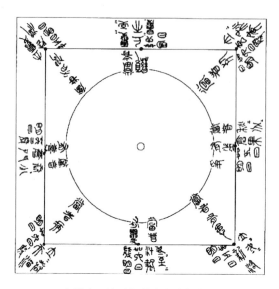

安徽阜陽汝陰侯墓出土式盤之一

有儌（立夏陰洛卅五日，明日），當者顯（夏至上天卅六日廢，
明日），當者死（立秋玄委卅六日廢，明日），當者有盜爭（秋
分倉果卅五日，明日），當者有患（立冬新洛卅五日，明日）。

　　現今留傳記錄太乙占法的書籍，較早的有唐朝王希明的
《太乙金鏡式經》。《新唐書‧藝文志》列其傳，《四庫全書》子
部收錄了該書。其式占法大致分為排盤和斷局二步。排盤之
法，首先依太乙所據時間確定太乙宮位和陰陽遁局。太乙採用
五元六紀法，七十二年為一元，六十年為一紀，三百六十年為
一大週期。太乙下遊九宮，每宮居三年，不入中宮，二十四年
一周，一元周轉三次。以上元甲子年起算積歲。此時太乙所居

宮，依年月日時陰陽遁局不同排佈。年月日用陽遁局；時局則冬至後用陽遁局，夏至後用陰遁局。太乙陽遁局始於一宮，陰遁始於九宮。特別要注意的是，太乙九宮位與洛書九宮位排列不同，於洛書九宮逆襲一宮排佈即乾一、坎八、艮三、震四、巽九、離二、坤七、兌六。太乙一生主、客二目，二目生主客大小將與計神八將等。太乙定位後，則一一排定二目、八將等。斷局之法，主要依據太乙、二目、四神、八神及十六神方位關係而論，如以八將與十六神方位形成掩、迫、囚、擊、關、格等局，占內外禍福，四神分野占水旱兵喪，三基、五福、大小遊二限等預測社會治亂。

　　由此可見，古籍所載太乙式法與汝陰侯墓出土的式盤有很大不同。二者究竟哪個是太乙式占？我們以為，太乙為三式之一，而觀其他二式遁甲與六壬，皆有神、門、將之類，關乎天、地、人盤，內容複雜，體系龐大，遁甲與六壬之間排盤斷法皆有相似性。太乙居三式之一，理應類似遁甲、六壬。另外，清代《太乙數大全》所記篇目內容與《太乙金鏡式經》相類，其九宮數位亦相同，可見《太乙金鏡式經》記載的太乙占法應當可信。1977 年安徽阜陽雙古堆汝陰侯墓出土的式盤疑非太乙式盤，因其內容極為簡單，內圈九宮排佈與洛書一致，而與《太乙金鏡式經》所述九宮數位卻不相同，抑或只是一種簡化形式。

　　太乙式占具體源於何時，根據現有資料尚無法定論。《四庫全書總目提要‧太乙金鏡式經》稱「其術為三式之一，所傳

尚古」[1]。傳說其產生於黃帝大戰蚩尤之時，天帝命玉女持三式靈文，為國除害。《史記‧日者列傳》記載太乙術為孝武帝聚會占家決娶擇日的七家術數之一。文獻證明，太乙式占至遲在西漢初已廣為流行。太乙式占的思想理論淵源可能是易學及曆學。《四庫全書總目提要‧太乙金鏡式經》中說：「核其大旨，乃仿《易》、曆而作。其以一為太極，因之生二目，二目生四輔，猶易之兩儀、四象。又有計神與太乙，合之為八將，猶易之八卦。其以歲、月、日、時為綱，而以八將為緯，三基、五福、十精之類為經，亦猶夫曆也。」其五元六紀的太乙積歲法，毫無疑問與曆法關係甚密。而《南齊書‧高帝本紀》以太乙行宮記述自漢高祖五年至陳禎明元年的社會歷史，這也證明了太乙與曆法的關係。不知何因，太乙式占流傳不廣，除了唐《太乙金鏡式經》《太乙淘金歌》及清代《太乙數統宗大全》有較為系統的闡述之外，其他記載不多。

相傳太乙式法頗為神奇，但也遭遇眾多非議，《四庫全書總目提要》稱《太乙金鏡式經》所列乃「秦漢間緯書之遺，機祥小數之曲說」。但觀其法，與易學關係甚大。首先，太乙式盤排盤之法是基於《易傳‧繫辭》的太極化生原理。《易傳》中太極生兩儀，兩儀生四象，四象生八卦，八卦定吉凶。太乙

1　《太乙金鏡式經提要》，《四庫術數類叢書》第 8 冊，上海：上海古籍出版社，1991 年，第 857 頁。

以一為太極，生二目，即天目與地目，類「太極生兩儀」；二目生四輔，四輔即環繞北極星的四顆輔星，類「兩儀生四象」；四輔生計神八將，類「四象生八卦」。時局佈盤分陰陽遁局，採取的是冬至陽局，夏至後陰局，這是易學陰陽原理的運用。《易傳》以為，「一陰一陽之謂道」，陰陽二氣流轉促使萬物變化發展。陽氣始於冬至，陰氣始於夏至。太乙式盤中天地人盤的安排，暗藏易學天地人三才思想。天地人各盤的九宮佈宮，與易學後天八卦相關聯。《太乙淘金歌》定宮數位時說：

> 一天二火三為鬼，四木六金坤在七，
>
> 八水九巽中應五，神宮定位天機秘。[1]

「一天」為天門乾宮位，「二火」為南方離宮位，「三為鬼」為東北艮宮位，「四木」為震宮位，「六金」為兌宮位，「七」為坤宮位，「八水」為坎宮位，「九」為巽宮位。太乙宮數位較洛書逆時針旋了一位，故稱「一宮在乾」之類，這顯然是對後天八卦的套用。其次，太乙式占解讀也緊緊圍繞易學陰陽、八卦理論。如《太乙淘金歌》論述「太乙式不同」時說：「二宮在離，主荊州、豫州。太乙臨之，人君誅將相。」[2] 隨後解釋道：

1　《太乙淘金歌》，《古今圖書集成》第 477 冊，北京：中華書局，1934 年影印，第 34 頁。

2　同上書，第 39 頁。

「離者，南方之卦，明堂之位也，故太乙在離宮，猶人君處明堂而布政。人君當審順逆，察正邪，則誅戮應之。」[1] 此是闡明太乙居離宮卦象。《太乙淘金歌》在論述「數主陰陽」時提到「一三七九數單陽，不宜出軍可自防；二四六八十單陰，伏匿隱藏作主強。一三五七九數為陽，二四六八十數為陰。若太乙主客二目在陽宮，數得陰為和；在陰宮，數得陽為和。和則利攻戰，不和則利固守潛伏」[2] 等，則是利用數與宮位陰陽關係得出人事利弊趨向。太乙與易學關係由此可見一斑。

　　《太乙淘金歌》收錄於《古今圖書集成》第六百八十七卷術數部。明朝劉養鯤於天啟七年提及：「愚校三式，編太乙時，成以《淘金歌》為捷旨，紀驗災祥，用之於兵，無不刻應。」[3] 該書可謂是學習太乙之術的方便法門，基本內容有三方面。第一，介紹了太乙式占的天目、計神等各基本要素的屬性、吉凶特點及求法；第二，敘述了太乙的入局起法和式儀；第三，說明了太乙關、囚、格、掩、擊等格局和星宮數之間關係的吉凶，描繪了太乙式占的解讀要領。總的來說，該書的特點在於簡明扼要。

1　《太乙淘金歌》，《古今圖書集成》第 477 冊，北京：中華書局，1934 年影印，第 39 頁。

2　同上書，第 36 頁。

3　《太乙淘金歌敘》，《古今圖書集成》第 477 冊，北京：中華書局，1934 年影印，第 34 頁。

101. 甚麼是「六壬課」？如何推演？其式盤和推演過程與易學關係如何？近年來流行原因何在？如何評估其作用？

六壬課，是根據某一時間處於地盤和相應方位的天盤干支的陰陽五行屬性及其關係進行推斷的一種占卜術。它與太乙、奇門遁甲一起，成為我國傳統三大預測術。

《四庫全書》稱六壬：「大抵數根於五行，而五行始於水，舉陰以起陽，故稱『壬』焉；舉成以該生，故用『六』焉。」[1]清代《六壬視斯》以為「壬乃陽水，天一生水，為數之始。壬寄在亥，亥屬乾宮，為《易》卦首乾之義」，六壬之名以此為宗。又有觀點以為，六十甲子中有六個壬 —— 壬子、壬寅、壬辰、壬午、壬申、壬戌，所以叫六壬。前兩種說法可合稱為五行生成數說，後一種說法可稱為甲子說。種種說法，皆是後人臆測，其名之究竟今已無可考。《吳越春秋》《越絕書》載有六壬卜課之事，可見六壬術可能起源較早，不會晚於春秋後期。近代以來出土了許多漢代的六壬式盤，可知六壬術在漢代已較盛行。

六壬課的推演，可總結為以下幾個步驟：

（1）查明月將、占時、日時干支。月將，即當月太陽入宮

1　《六壬大全提要》，《四庫術數類叢書》第 6 冊，上海：上海古籍出版社，1991 年，第 471 頁。

位置,入何宮即為何將。太陽每月中氣過宮,一月一宮一將。正月雨水後為亥將,二月春分後為戌將,如此於十二宮依次逆行。

(2) 佈天地盤。地盤為不動之十二地支位,天盤是「月將加時」順排十二支所得出者。天盤隨月將、占時而動。

(3) 演四課。四課是以日干支為基點,參照地天兩盤地支而佈置。

(4) 起三傳。三傳即初傳、中傳、末傳。初傳地支由四課干支的陰陽五行關係而確定,共有賊剋、比用、涉害等九種關係。初傳地支確定後,於此盤上看加臨的是何地支,即為中傳。中傳地支確定後,於此盤上看加臨的是何地支,即為末傳。

(5) 佈貴人、排天將。貴人起法視日干而定,有歌訣:

> 甲戊庚牛羊,乙己鼠猴鄉,
> 丙丁豬雞位,壬癸蛇兔藏,
> 六辛逢馬虎,此是貴人方。

訣中貴人地支方位用十二生肖代表。每句前生肖為晝貴人,後生肖為夜貴人。如第一句,甲戊庚日晝貴用丑,夜貴用未。餘仿此。天將凡十二,名序為:貴人、螣蛇、朱雀、六合、勾陳、青龍、天空、白虎、太常、玄武、太陰、天后。排法則視貴人所臨地盤宮位而有順逆之分。凡貴人臨亥、子至辰六宮,天

將順佈；凡貴人臨巳、午至戌宮，天將逆佈。

（6）定遁干、安六親。遁干之法，依日辰所在何旬，則在此旬查三傳地支所遁何干。六親安法，主要是由三傳支神五行與日干相較而形成。生日干者為父母爻，剋日干者為官鬼爻，與日干比和者為兄弟爻，日干所生者為子孫爻，日干所剋者為妻財爻，將此六樣排於三傳之上。

從形式上看，六壬課體可分天地盤面、四課分佈和三傳排列三塊。凡事決斷，有決於天地盤者，有僅決於四課者，有僅決於三傳者。古人曾云「占斷六處說」，包括日上、三傳、行年、本命等六個地方，於此六處取類神析事。按課體及運算次序來看，比較完整的占斷之處應包括太歲、月建、正時、四課（四處）、三傳（三處）、行年、本命等十二個地方。

六壬涉及月將、地天盤、四課、三傳、貴人、遁干等組成部分。地盤是恆定不變的十二個地支，表示時間位置、地平方位和立體空間，其根源在於天體北極的近似不動。天盤是天文黃道十二宮，以太陽加臨在地球旋轉時辰上，所謂「月將加時」，根源於太陽視運動。月將是當月太陽的日躔宮度。貴人實際是十干之合氣。四課、三傳為天盤月辰加地盤時辰而形成者。名目繁多，但總括起來，六壬的實質不外乎「推日月行度，參以時日」。從六壬的組成要素及其屬性來看，六壬是天文律曆的干支運用。

六壬不像太乙、奇門遁甲一樣直接涉及易卦易象，但毫

無疑問，六壬與大多數術數一樣，也與易學有着密切聯繫。首先，六壬無論起課斷課，其核心理論和操作原則還是依據陰陽五行學說。其次，六壬的起課方式仿易學太極生化過程，契合易學太極生化原理。《四庫全書》所收《六壬大全提要》稱：「（六壬）由干支而有四課，則亦兩儀四象也；由發用而有三傳，則亦一生二，二生三，三生萬物也，以至六十四課，莫不原本義爻，蓋亦易象之支流推而衍之者矣。」[1] 該提要從思想進路入手，來談六壬與易學關係，可謂言簡意賅。最後，六壬在發展過程中不斷形成許多六壬課經，課經的解釋者常引《易》釋課。其形式，常先解釋課名及內涵，一般用「統（卦）之體」的表述，歸於《周易》某卦；然後對課可能涉及的組合要素及預測狀況進行論析，一般用「當應（卦爻辭）之象」的表述，點明此狀況為《周易》某卦爻象。如繁昌課，先指出「凡夫妻年立德方發用為繁昌課……統《咸》之體，乃男女合感之課也」，接着是：「象曰：陰陽和合，萬物生成……甲己合，主生子黃色壯大，端厚好讀書，得官也，當應《咸》『亨，利貞，娶女吉』象……行年值敗絕刑害，為德孕不育，當應《咸》上六『咸其輔頰舌』之象。」[2] 由此可見，六壬術所涉內容與易還是有很大

---

1 《六壬大全提要》，《四庫術數類叢書》第 6 冊，上海：上海古籍出版社，1991 年，第 471 頁。

2 《六壬大全》卷六，《四庫術數類叢書》第 6 冊，上海：上海古籍出版社，1991 年，第 623—624 頁。

關係的。當然，若仔細比較，便可看出六壬的起課與易學太極生化過程還是有很大不同。易學是於陰陽兩儀上各安一陰、一陽而成四象，四象之間是並列關係。但六壬的四課之間，第二課是依第一課天盤基礎而定，二者的關係類似於進化關係；由第三課到第四課的推演，也遵循同樣原則。六壬的三傳之間也類似於進化關係。

近些年六壬術興起，原因是多方面的。首先，六壬術不僅與《易》相通，包含着豐富的哲學思想，而且還涉及天文曆法，有一定的自然科學知識內涵。中國古代許多自然科學方面取得成就的著名學者也常常著六壬書籍，如唐天文學家僧一行著有《六壬明鑑連珠歌》《六壬髓徑》等，宋科學家沈括也在其《夢溪筆談》中述及六壬。這就使六壬在崇尚科學知識和科學精神的現代社會也易於被人所接受。其次，在發展過程中，六壬術數形成大量的可供參考學習的論著，如《古今圖書集成》收錄有《大六壬類聚》，《四庫全書》收錄有《六壬大全》《大六壬課經集》《大六壬指南》《御定六壬直指》等。最後，對於安身立命的需求，也使人們對六壬術產生巨大興趣。然而，我們在看到六壬術流傳及其對人們的生活產生極大影響的同時，也應該像對待其他術數形式一樣，辯證地看問題。六壬作為一種術數法度，也有着許多不合科學和不合時代要求的因素，因而不能癡迷其中，以免誤事。

102.《封神演義》《水滸傳》等小說中的「土遁」「水遁」等可以看作「奇門遁甲」的文學表現嗎？「奇門遁甲」如何取法易學象數？

奇門遁甲，簡稱奇門，與太乙、六壬一樣都是我國古代三大預測術之一。

奇有三奇，即乙、丙、丁，三奇加臨，一般為吉。門有八門，休、死、傷、杜、景、驚、生、開，其中休、生、開三者為吉門。十干除三奇外，餘七干，其中「甲」被認為最為顯貴，常隱於戊、己、庚、辛、壬、癸六天干（或稱「六儀」）之中，「三奇六儀行九宮，唯獨甲干不占宮」。因而古人說「遁甲，推六甲之陰而隱遁」，故稱奇門遁甲。據說，奇門遁甲源於黃帝時代，但從其構成要素來看，此術數法度的出現當不會早於戰國時期。遁甲所用「二十四節氣」是一個比較完整的體系，與西漢時期《淮南子》所陳述的節氣內容相吻合。南朝范曄所著《後漢書‧方術列傳》中明確列有「遁甲」之名。根據目前的資料推斷，奇門遁甲最有可能產生於漢代，最遲應不晚於南朝劉宋時代。

奇門遁甲術的主要經典著作有：《奇門法竅》《奇門遁甲統宗大全》《奇門遁甲元靈經》《遁甲演義》《奇門秘笈全書》等。

古代小說常出現土遁、水遁的情節描述。比如《封神演義》第三十七回：「子牙分付已畢，隨藉土遁往崑崙山來。」書中還細講了土行孫的土遁本領。《水滸傳》等古代小說中也出現

過水遁等。此類情節所展示的隱遁術與奇門遁甲體系都有隱遁之意，但二者也有着顯著的差別。土遁、水遁是古時方士藉助水土物質而逃遁或者隱遁；奇門之遁是指六甲隱於六儀之遁。事實上，兩者是兩種完全不同的法度：方士五遁法是藉物遁形所用之法術，屬於法術範疇；奇門遁甲是利用天干地支八卦進行推演的一套理論，屬於術數範疇。由於二術皆有神奇之處，又皆有隱遁之意，故世人常誤以土遁、水遁為奇門遁甲的表現。

其實，奇門遁甲的神奇之處，不似土遁、水遁類超自然的神力表現，而是取法於易學象數。只要把握其中的易學象數理則，則奇門之神奇也能廣為人識。奇門遁甲先是佈局，再是斷局，與太乙占法類似，其中涵蘊着豐富的易學象數意蘊。

首先，奇門遁甲的佈局遵循易學天地人三才之道和陰陽五行八卦法則。

奇門遁甲有四盤，天盤、地盤、人盤和神盤。

地盤九宮，其方位取法於洛書九宮、八卦、十二地支，以之為恆定不動之盤。地盤九宮的陰陽五行屬性，合於易學後天八卦及其陰陽五行屬性。奇門經典篇章《煙波釣叟歌》曰：「先須掌上排九宮，縱橫十五在其中。次將八卦論八節，一氣統三為正宗。」此即以九宮八卦講地盤佈局。

人盤，即八門之盤，象徵人事。其屬性與九宮八卦屬性相對應：如開門對應西北乾卦，五行屬金；休門對應北方坎卦，

五行屬水；生門對應東北艮卦，五行屬土；傷門對應東方震卦，五行屬木；杜門對應東南巽卦，五行屬木；景門對應南方離卦，五行屬火；死門對應西南坤卦，五行屬土；驚門對應西方兌卦，五行屬金。

天盤九星，代表「天」，表示天時對地球人類的影響。在佈局時，天盤九星對應地盤九宮八卦：一宮對應天蓬星，屬水；二宮對應天芮星，屬土；三宮對應天沖星，屬木；四宮對應天輔星，屬木；五宮對應天禽星，屬土；六宮對應天心星，屬金；七宮對應天柱星，屬金；八宮對應天任星，屬土；九宮對應天英星，屬火。

神盤，按其整體架構看，居於四盤最上層。盤上共有八神位：值符，騰蛇，太陰，六合，白虎，玄武，九地，九天。神盤並不是指真有神鬼，而是指暗藏於三盤之中的某種宇宙神秘力量。神盤與其他三盤的關係，恰如易學陰陽關係，三盤為宇宙外在顯性陽物，神盤若宇宙內在隱性陰物，如此一陰一陽推動宇宙事物的變化發展。

不僅如此，奇門遁甲之取象也繼承和發揮了易學八卦取象法[1]。奇門遁甲以八卦、八門、九宮、九星為基礎，以此輻射萬事萬物，將萬事萬物納入取象系統，建構了一個包容萬事萬物的象數體系。這種取象，實是對易學取象法則的直接推衍。

1　易學取象原則，詳見本書第二章第一節有關內容。

　　其次，奇門遁甲起局之程序，依洛書九宮和節氣陰陽而輪轉。三盤，除了地盤不動外，人盤、天盤皆依不同時間在九宮八卦位變動不居。總的來說，年家奇門和月家奇門，用陰遁不用陽遁。陰遁指逆向排盤，即按九宮次序逆佈六儀、順佈三奇；陽遁指順向排盤，即按九宮次序順佈六儀、逆佈三奇。日家奇門和時家奇門，皆依夏至、冬至分陰遁和陽遁：冬至後到夏至前用陽遁，夏至後到冬至前用陰遁。此為《煙波釣叟歌》所說「陰陽二遁分順逆」。

　　最後，奇門遁甲的測斷亦是易學象數的運用。奇門斷法的具體思路比較複雜，歸納起來有兩點：一是確定用神，即大致先根據所測事物確定用神為何；二是以用神為中心，查看各盤之間陰陽五行的生剋制化，從而進行測斷。奇門用神取法眾多，有值符值使用神法、事物宮位用神法、日時干支用神法等。但是，如同萬物可歸於三才一樣，事物之眾多用神，亦逃不脫三才用神的架構。奇門上盤象天，九星為主；中盤象人，八門為主；下盤象地，九宮為主。測天時，以九星為主，查其三盤生剋，凡星剋門吉，門剋星凶。測人事，以八門為主，查其三盤生剋，凡門生宮、宮生門吉，門剋宮、宮剋門凶，傷人事故凶。測地理，以九宮為主，門宮相生俱吉，相剋俱凶。我們仔細分析這種三才用神取法，可以看出奇門用神的選擇實際暗含了八卦物象法則，以三才、八卦、九宮為符號象徵模擬萬事萬物，體現了易學的類推思維。

奇門的斷法，確定佈局後，乃以用神為核心，開展全方位的生剋制化審查論斷。首先看干支落宮的五行屬性，進行橫向比較。如日干剋休門，指日干落宮五行剋休門落宮五行。其次，居於一宮之內，查天地人神各盤之間五行生剋關係，進行縱向比較。最後，復查各自的旺衰決定生剋力量。從這種縱橫交錯的審查論斷，可以看出重點在於用神與其所處之宮及他宮的關係權衡，其核心是五行的生剋制化。

總而言之，我們可以毫不誇張地說，奇門遁甲就是三才、五行、八卦、九宮、星象、節氣、洛書相互作用的大盤局。

第三節　易學與梅花易數、紫微斗數

103. 甚麼是「梅花易數」？為何遵循先天易學？

梅花易數是以八卦為核心，以八卦易數和八卦物象推演為基礎，利用八卦之間五行生剋關係進行占卜的一種術數。相傳邵雍觀梅之時，根據二雀爭枝墜地而佈卦，預測次日梅園女子墜地傷股之事，因而得名。梅花易數與六爻納甲術是《周易》預測學兩大系統理論和預測術。若將二者的易學架構相比較，可以看出其間有着明顯的異同點。相同點主要在於：二者皆涉及八卦，包括八卦符號、卦象及八卦關係；皆強調以月建日辰關係論旺衰；皆以五行生剋制化為理論要害。不同點主要在於：梅花易數以八卦為核心，不注重卦體六爻，其起卦、斷

卦皆以八經卦為單位；六爻納甲術則關注卦體六爻，特別是世
應二爻、用神爻及動爻的關係。梅花易數所涉八卦，不僅包括
主卦、變卦四個八經卦，還包括互卦的八經卦；六爻納甲術則
不注重八經卦及其關係，其所涉八卦，主要是主卦所在之八宮
卦。梅花易數着重於以八經卦為基礎進行的八卦取象；六爻
納甲術則着重於六爻爻象。梅花易數推斷時主要採取八經卦
動靜體用斷法；六爻納甲術則無體用斷法，而採取六親生剋動
變法。梅花易數運用的理論更傾向於先天易學；六爻納甲術
的理論則發源於京房易。

　　梅花易數占法的經典著作為《梅花易數》，舊題宋代邵雍
著，書中載有此占法的象數易理基礎知識，易數占斷卦法、分
類占法、易占實例、字畫指迷及拆字雜編等內容。但據鄭萬
耕先生考證，《梅花易數》非邵雍所作。鄭先生以為，無論是
史書有關邵雍的記錄，還是同時代與邵雍交往密切之人如司
馬光、程顥等人的有關著述，都未提及邵雍作《梅花易數》一
書；從《梅花易數》的內容來看，卷一載有「八卦象列」，卷五
又有「六十四卦次序」，為抄錄朱熹《周易本義》卷首所列「八
卦取象歌」和「上下經卦名次序歌」，朱熹是南宋人，邵雍為北
宋人，又《梅花易數》卷二有「三要靈應篇」，述及劉伯溫，劉
氏是明太祖朱元璋的宰相，乃元明之際的政治家，據此，《梅
花易數》只能是明代以後人所著，並非邵雍之作；此外，《梅
花易數》行文的語氣也很值得懷疑，卷一所列「觀梅占」講「康

節先生偶觀梅」，「牡丹占」講「先生與客往司馬公家共觀牡丹」，「鄰人扣門借物占」講「先生方擁爐」「先生令其子占之」，等等，這種稱邵雍為「先生」的說法，絲毫沒有自家著述的意味。更何況，「康節」乃邵雍死了十年以後（元祐年間）哲宗皇帝為了表彰他的功德而追賜的謚號，豈能自稱「康節先生」！因而鄭萬耕先生說：「《梅花易數》一書錯亂粗俗，不是邵康節先生所作，它只能是明代以後從事占卜的人雜抄前人占術的彙編。」[1] 鄭氏之語，言之鑿鑿，可謂切中要害。

梅花易數特重易數易象而不重卦爻辭。《梅花易數》說：「先天卦斷吉凶，止以卦論，不甚用《易》之爻辭。後天則用爻辭，兼用卦辭，何也？蓋先天者未得卦先得數，是未有《易》書，先有《易》理，辭前之《易》也。故不必用《易》書之辭，專以卦斷。後天則以先得卦，必用卦畫，辭後之《易》也。故用爻之辭，兼《易》辭以斷之也。」[2] 梅花易數之體用法，合於先天易學之體用論。其起卦用先天八卦序數即乾一、兌二、離三、震四、巽五、坎六、艮七、坤八，而非先天八卦數即乾九、兌四、離三、震八、巽二、坎七、艮六、坤一，亦非後天八卦數即乾六、兌七、離九、震三、巽四、坎一、艮八、坤二。梅花易數遵循的是先天易學。所謂先天易學，是以先天八卦和

1 鄭萬耕：《關於〈梅花易數〉的幾個問題》，《國際易學研究》第 3 輯，北京：華夏出版社，1997 年，第 41—46 頁。

2 ［宋］邵康節：《梅花易數》卷二，北京：九州出版社，2011 年，第 41 頁。

六十四卦圖為符號基礎，以畫前原有「易」為思想基礎，由此而闡發的學說。先天易學以為，後天之萬事萬物皆根於畫前之易，為畫前之易的自然展開。對此展開過程，邵雍曾經予以描述：「太極，一也，不動；生二，二則神也；神生數，數生象，象生器。」[1] 基於這種象數理念，《梅花易數》在卦畫上表現為先天八卦次序圖，起卦採用先天卦序數，其實就是摹擬畫前之易的展開過程，以此來窺測事物變化發展之軌跡。對此，《梅花易數》明確說：「蓋聖人作《易》畫卦，始以太極、兩儀、四象、八卦加一倍數，自成乾一、兌二、離三、震四、巽五、坎六、艮七、坤八，故占卜起卦，合以此數為用。」[2]

104.「梅花易數」主要有哪些起卦方式？如何進行卦象推斷？

梅花易數的起卦方式主要有以下幾種：

（1）年月日時起卦。

年月日數之和除以八，餘數為上卦數；年月日加時的總數除以八，餘數為下卦數。年、時數以地支序數為準，如子一丑二之類。月、日數以具體陰曆數為準，如正月一數，二月二數，初一為一數，三十日為三十數。卦數以零坤、一乾、二兌、

1　[宋]邵雍：《皇極經世書》卷十四，《文淵閣四庫全書》本。

2　[宋]邵康節：《梅花易數》卷二，北京：九州出版社，2011年，第41頁。

三離、四震、五巽、六坎、七艮、八坤為準。以年月日時的總數除以六，得餘數為動爻。餘數一對應初爻，餘數六或零對應上爻。

（2）直接以數起卦。

當有人求測某事時，可以讓來人隨意說出兩個數，第一個數作為上卦，第二個數作為下卦，兩數之和除以六，餘數為動爻。或者可以隨便借用其他能得到的兩數起卦，如翻書、日曆等。

（3）按聲音起卦。

凡聞聲音，所聞聲數起作上卦，加時數配作下卦。如動物鳴叫聲、叩門聲、人語聲皆可起卦。若所聞聲音中有一間隔，可以把間隔前聲數取作上卦，間隔後聲數取作下卦，以上下卦數加時辰數取動爻。若語多，則用起初所聞一句或末後所聞一句，餘句不用。

（4）按字的筆畫數或字數起卦。

字少時，按筆畫數；字多時，可用字數起卦。凡見字，如字數可均分，即平分一半為上卦，一半為下卦；如字數不可均分，即以少一字為上卦，取「天輕清」之義，以多一字為下卦，取「地重濁」之義。

（5）後天起卦。

第一，或觀其人品，或取諸身，或取諸物，或因其服色，或觸其外物。觀其人品者，如老人為乾，少女為兌之類。取

諸其身者，如頭動為乾，足動為震，目動為離之類。取諸其物者，如人手中偶有何物，金玉及圓物屬乾，土瓦及方物屬坤之類。因其服色者，如紅衣為離，黑衣為坎之類。觸其外物者，如見大樹為震卦，見花草小樹為巽卦之類。

第二，以物或人所取之象為上卦，以其所在後天八卦方位之卦為下卦，以上、下卦數加時數除以六，餘數為動爻。此後天起卦法是以八卦萬物屬數為上卦，以後天八卦方位為下卦，經常使用。

第三，見可數之物，即以此物起作上卦，以時數配作下卦，以此物卦數加時數除以六，餘數為動爻。

（6）起卦加數法。

按年月日時起卦，一個時辰之內，只有某一特定的卦象，在同一時辰內，可能有多人來占問，不能以同一卦象斷事，或有多人同來而問同一件事者，亦不能以同一卦象論之。這種情況可用加姓氏筆畫數的方法起卦決之。

梅花易數占斷主要運用的是八經卦，須先掌握八經卦各代表哪些物象，然後才能進行推斷。卦象推斷步驟可細分為：第一步，卦象明顯表徵所測事物時直讀卦象。如測問牛走失於深山還是曠野之中，得山地剝卦。八卦物象中，坤象牛，艮象山，故可直讀此卦意為牛走失於深山中。第二步，若直讀不成，則成卦之後，看《周易》爻辭，參以卦名，以斷吉凶。第三步，運用卦之體用斷法。其法先分體卦、用卦，再論體用

卦五行生剋。[1]第四步，看外應剋應，如聞吉說見吉兆則吉，見凶則凶。第五步，斷應期。古法以復驗己身動靜，坐則事應遲，行則事應速，走則愈速，臥則愈遲之類。今法多察體用旺衰，結合時令入卦，看主、互、變卦的體用五行生剋定應期。

105. 甚麼是「紫微斗數」？其形成與流傳情況怎樣？如何運用易學象數來建構預測模型？

「紫微斗數」，其名見於明神宗萬曆三十五年所編道教典籍《續道藏》收錄的三卷本《紫微斗數》。[2]「紫微」指北極星。「斗」為南斗、北斗，泛指南北斗各星。南北斗各星皆有其宮位數，以此推算祿命，稱為「斗數」。各星斗依紫微分佈，故稱「紫微斗數」。紫薇斗數是以人出生時間確定的十二宮紫薇命盤及各宮的星群組合來推測人的命運吉凶的祿命術。這一術法認為，人與星有着特定關聯，人出生時位於一定次序的星曜及其組合決定了其人生命運。其法是先排盤安星，再斷盤。排盤安星大致分為以下幾個步驟：首先，安命身與十二宮。安命身，依出生月份及日辰定：以寅宮為一月，順數黃道十二宮至出生月；於出生月上按子時順數至出生時為身宮，逆數為命宮。安十二

---

1 參閱本書第六章第二節有關體用互變與神煞的內容。

2 見《道藏》第 36 冊，北京：文物出版社、上海：上海書店出版社、天津：天津古籍出版社，1988 年影印。

宮，從命宮之後開始，不分男女一律逆時針挨排兄弟、夫妻、子女、財帛、疾厄、遷移、僕役、官祿、田宅、福德、父母。其次，起寅首，定五行局。起寅首，即根據五虎遁月法排定寅月天干，確定十二宮天干。定五行局，有水二局、木三局、火六局、金四局、土五局的分別，主要依據命宮干支納音而定，如命宮甲子納音為金，即為金四局。最後，安紫微等各類星曜。紫薇斗數的星曜繁多，有南北斗等十四主星（紫微、天機、太陽、武曲、天同、廉貞、天府、太陰、貪狼、巨門、天相、天梁、七殺、破軍），有干系諸星，有支系諸星，有月系諸星，有日系諸星，有時系諸星，有四化星等大大小小百來顆。排星曜時，先依出生日及命宮五行局決定紫微星宮位，再由紫微星決定其他主星安排，最後依各星系固有之次序一一排列。排盤安星完畢，即成紫微命盤。紫微命盤的構架主要有兩部分：一是十二宮位；二是十二宮位之上各星曜。斷命時，即依星斗座宮位（主要是三方四正 —— 命宮、命宮三合宮及對宮）與星曜之間關係及大運流年等來解讀。

紫微斗數相傳為五代末陳摶（陳希夷）所創，但是否真為陳氏所發明，有待進一步的文獻發掘考證。紫微斗數的傳承一直較為隱秘，流傳過程中分為南北兩派：北派以四化（化祿、化權、化科、化忌）解讀為主，又稱四化派，代表作為《續道藏》中三卷本《紫微斗數》；南派重星曜屬性，以星曜解讀為主，又稱三合派，代表作為《紫微斗數全集》和《紫微斗數全

書》,由明嘉靖年間江西吉水羅洪先刊刻流傳。

相較其他術數,紫微斗數與易學的關係應是較遠的。斗數的起源,乃天文曆象。從排盤安星來看,其與唐代《果老星宗》之術類似,都需安身命宮,排定十二宮,確定各星曜宮位。只是《果老星宗》身命宮是據太陽加時順數至卯而定,《果老星宗》之七政星曜多是據實體星系而佈;紫微斗數安身命是以月份加時而定,而其星曜數量多於《果老星宗》,不專為七政四餘,且眾多星曜多為虛星,不與實體星系相符。但可以肯定的是,二術皆源於天文曆象,而非如梅花易數等源於《周易》。另外,斗數判命主要依據星曜落宮及其關係來定,而較少用到五行生剋制化理論,全然不涉易學卦象。《太微賦》開篇云:

斗數至玄至微,理旨難明,雖設問於百篇之中,猶有言而未盡。至如星之分野,各有所屬,壽夭賢愚,富貴貧賤,不可一概論議。其星分佈一十二垣,數定乎三十六位,入廟為奇,失數為虛,大抵以身命為福德之本,加以根源,為窮通之資。星有同躔,數有分定,須明其生剋之要,必詳乎得垣失度之分。觀乎紫微舍躔,司一天儀之象,卒列宿而成垣。土星苟居其垣,若可動移;金星專司財庫,最怕空亡。帝居動則列宿奔馳,貪守空而財源不聚。各司其職,不可參差。苟或不察其機,更忘其變,則

數之造化遠矣。[1]

《續道藏》中《紫微斗數》也提到星曜「若在廟堂樂旺者，不必拘陰陽也」[2]。從《太微賦》這段總綱性的描述和《紫微斗數》之語可以看出，紫微斗數判命着重星曜的星性、廟旺利陷、格局關係，不若六爻、梅花、奇門、太乙有卦象存焉。

　　我們說紫微斗數與易學的關係不像其他術法那麼緊密，但並不意味着它與易學毫無關係。實際上，紫微斗數與易學也有契合之處。紫微斗數推命的致思架構和模型，是以十二宮為地盤，以星曜為天盤，以命宮十二宮及大運流年為人盤，從而以星曜關係來推及人命，這暗合易學天地人思想和象數準則。紫微斗數主要通過星斗座宮位（主要是三方四正 —— 命宮、命宮三合宮及對宮）與星曜之間的關係及大運流年等多層次的相互關係建構預測模型，其推命的判定依據主要是各層次的屬性沖合。但這些星宮、星曜、大運流年屬性，又往往與易學陰陽五行屬性相關。星曜的星性體現出其內在的五行屬性。比如天機星，屬性表現為沉靜、內斂、機謀、重思維，這體現的是陰木特性。而貪狼星好表現、較活躍、重交際，這體現的是陽

1　[清] 王道亨編纂，[宋] 陳摶著，李非白話釋意：《紫微斗數》，北京：中醫古籍出版社，2018 年，第 1 頁。

2　《紫微斗數》卷一，《道藏》第 36 冊，北京：文物出版社、上海：上海書店出版社、天津：天津古籍出版社，1988 年影印，第 495 頁。

木特性。星曜吉凶與其坐落宮位之陰陽也有着極大關係。《紫微斗數》卷一云：

> 九陽星，分禍福輕重。紫木、文木、福土、祿木、印土、壽土、杖木、庫土、姚木。在陽宮，則福重而災輕；在陰宮，則福輕而災重。九陰星，分災福輕重。貴土、紅金、異土、毛水、虛水、貫土、刑火、刃金、哭金。在陰宮，則福重而災輕；在陽宮，則災重而福輕也。其可不仔細推乎？[1]

宮位之陰陽不同，則星曜吉凶不一，反映了星曜與陰陽之間的密切關係。這些在某種程度上體現了易學象數在紫微斗數建構預測模型中的影響與地位。

---

1 《紫微斗數》卷一，《道藏》第 36 冊，北京：文物出版社、上海：上海書店出版社、天津：天津古籍出版社，1988 年影印，第 495 頁。

第十二章　易學與身國治理

第一節　易學與治身之道

106.「洗心於易，退藏於密」何意？其治身價值何在？

「洗心於易，退藏於密」一說出自《周易・繫辭傳》，其云：「聖人以此洗心，退藏於密，吉凶與民同患。」何為「洗心」？前人說法較多，比如魏晉時期韓康伯的「洗濯萬物之心」[1] 說，南宋朱熹的「洗濯自家心」[2] 說，清朝王引之的「先心」[3] 說，等

1　[魏]王弼、[晉]韓康伯注，[唐]孔穎達正義：《周易正義》，北京：中國致公出版社，2011年，第274頁。

2　[宋]黎靖德編，王星賢點校：《朱子語類》卷七十五，北京：中華書局，1986年，第5冊第1925頁。

3　[清]王引之：《經義述聞》，季羨林總編《傳世藏書・經庫・經學史二》，海口：海南國際新聞出版中心，1996年，第1830頁。

等。考查與《易傳》年代相近的典籍，已有相近或相同的語彙。如《莊子‧山木》云「灑心去欲」(灑心即「洗心」)，《老子道德經河上公章句》云「洗心濯垢，恬泊無欲」。再聯繫上下文，可以判斷「洗心」應指滌除私慾妄念，使得內心歸於平靜安寧。關於「退藏於密」，歷史上也有幾種說法，但較為可信的當屬宋朝楊萬里的解釋，他認為這是「退而潛乎靜密穆清之中」[1]，意即人隱退於隱蔽靜寂的地方修行。這樣合起來看，「洗心於易，退藏於密」就是指人們退隱於安寧清淨的地方，以易理修養自己，使自己心境安寧平和。

對於「洗心於易，退藏於密」的治身價值，理學大師朱熹有一個很精彩的說法：「『以此洗心』，都只是道理。聖人此心虛明，自然具眾理。」[2]意思是說，將自己的私心雜念逐步滌蕩去除後，心靈就會歸於安寧澄明，這樣內心本來具足的天理就會顯現出來了。這個說法是有道理的。在中國傳統文化中，不論是老子的「致虛極，守靜篤」，莊子的「心齋」，《大學》的「知止而後有定，定而後能靜，靜而後能安，安而後能慮，慮而後能得」，還是佛教的「戒定慧」「止觀」修行，都強調內心沉靜、安寧對於啟迪智慧的重要作用。在古人看來，人本來就是天性具足的，但隨着後天各種慾望的浸染和環境的侵襲，

1　[宋]楊萬里：《誠齋易傳》，北京：九州出版社，2008 年，第 257 頁。

2　[宋]黎靖德編，王星賢點校：《朱子語類》卷七十五，北京：中華書局，1986 年，第 5 冊第 1926 頁。

內心變得混雜、浮躁，原有的清淨圓滿本性被逐步遮掩或污染，就像明鏡蒙了一層灰塵一樣，導致光明的本性難以顯現出來。

當今社會，在不斷拚搏奮鬥的同時，如何保持正知、正念和內心的安寧，是很多人想知道的。其實，「洗心與易，退藏於密」恰恰可以為人們提供一條十分健康的修養路徑。明代陳繼儒《小窗幽記》說：「讀書隨處淨土，閉門即是深山。」人們白天在外面勞碌工作，如無必要，晚上不要再去無休止地應酬，應該早點回家，關上房門，給自己一片清淨的空間，讓心靈得以平靜。在家中，不要一門心思地看電視、上網、玩手機，可以讀點經典名著，與古人安居，同先賢對話，聆聽聖賢的教誨，讓心靈得到洗禮和淨化，或者靜心反思，聆聽內在的聲音，體悟正道存心的感覺。這樣長期堅持，也就能逐步達到靜心、安心的效果了。心靜了，心安了，智慧也就會逐步開啟：很多看似複雜的事情也就變得簡單了；很多看不透的事情，也就看得透了；一些放不下的事情，也會懂得放下了。這樣自己的生活也就會變得更加簡單、明了、幸福了。

107. 如何理解「窮理盡性以至於命」的治身意義？

《周易·說卦傳》說：「窮理盡性以至於命。」這裡面有三個關鍵詞：窮理、盡性、命。我們先來看看它們分別是甚麼意思。

　　一是「窮理」，即窮究事物之理。《大學》中還有個詞叫「格物」，歷史上也將這兩個詞合稱為「格物窮理」。朱熹認為「格物窮理」就是徹底研究事物，窮究其中的道理。他在給《大學》作注時說，天下的事物都有自己的道理在其中，因此人們要根據已知的道理，進一步去探索那些未知的，探究的時間長了，功夫深了，就能夠連成一片、豁然貫通，窮究到事物之理了。因此，朱熹特別強調讀書、學習的重要作用，他認為只有不斷地讀書、學習才能夠「格物窮理」，在《行宮便殿奏札二》中說：「為學之道，莫先於窮理；窮理之要，必在於讀書。」明代的大學問家王陽明年輕時讀朱子書，但對於朱子解釋的「格物」不是很理解，於是就以格竹子做實驗，結果是未果而中途病倒。暫且不論王陽明這個方法對不對，他後來遍閱典籍，找到了原來「理」就在自己心中，因此說萬事萬物之理都不外乎人的本心。他認為「格物」應該是格除心中的物慾，而非徒然外求，心中湛然無私無慾，天理自然明朗顯現，於是提出了與朱子不同的「格物窮理」的方法，即向內求的「心學」方法。

　　二是「盡性」。所謂「性」，就是人的本性。關於「性」的來源，《周易‧繫辭傳》說「繼之者，善也；成之者，性也」，《中庸》說「天命之謂性」。這說明「性」是「天」賦予人的。孟子認為人性本來是善的，只是被私心雜念所蒙蔽，導致本性難以顯現，才會陷入惡途。因此，人應該想辦法去除各種私心雜

念，把被蒙蔽的本心找回來，這個過程叫作「求放心」。本心找回來，善性就顯現出來了，這叫作「盡心」，也即「盡性」。「盡心」，就能知道自己本來的天性，也就能知天了，也就是孟子所說的「盡心，知性，知天」。

三是「命」。關於「命」，可理解為「天命」。同「性」一樣，「命」也是「天」賦予人的。有所不同的是，「性」是精神上的、無形的，「命」是物質上的、有形體的。

綜上，「窮理盡性以至於命」的大意就是：窮究天下萬物之理，將自己本善圓滿的天性顯現出來，以此來待人處事，就達到生命的圓滿了。

孔子說他「五十而知天命」，其實這個境界已經很高了。能夠「知天命」，也就已經完成了「窮理盡性」的過程。他後來的「六十而耳順，七十而從心所欲，不逾矩」也都是以「知天命」為前提的。

對於現代人而言，「窮理盡性以至於命」的一個重要啟示就是要「窮理」。「窮理」即窮究道理，比「明理」還要更進一步，要知其然，還要知其所以然，更要徹底通達。至於「窮理」的方法，儘管朱子、王陽明各有一套「格物」之說，但是比較穩妥的方法還是朱子的讀書、學習方法，當然若能進一步靜坐悟道，那就更好了。值得一提的是，有了「窮理」的基礎，其後的「盡性以至於命」也就是水到渠成的事情了。

108. 甚麼是易學的「三陳九德」？當今社會如何借鑑「三陳九德」來開展人格教育？

易學的「三陳九德」，是從「三陳九卦」衍生出來的，指的是《繫辭傳》以道德修養詮釋履、謙、復等九卦，並作了三次陳述，全文為：

> 是故履，德之基也；謙，德之柄也；復，德之本也；恆，德之固也；損，德之修也；益，德之裕也；困，德之辨也；井，德之地也；巽，德之制也。履，和而至；謙，尊而光；復，小而辨於物；恆，雜而不厭；損，先難而後易；益，長裕而不設；困，窮而通；井，居其所而遷；巽，稱而隱。履以和行，謙以制禮，復以自知，恆以一德，損以遠害，益以興利，困以寡怨，井以辨義，巽以行權。

意思是講：體現了禮節規範的履卦，乃是樹立社會倫理道德的根基；蘊含虛懷若谷精神的謙卦，乃是實踐社會倫理道德的彪炳；示範回復正途的復卦，乃是引導人們遵循社會倫理道德的根本；堅定人們信念的恆卦，乃是堅定社會倫理道德信念的磐石；幫助人們認識自身缺失的損卦，乃是提升社會倫理道德修養的路徑；引導人們多行善舉的益卦，乃是充裕社會倫理道德的法門；鼓勵人們堅守節操的困卦，乃是檢驗社會倫理道德水平的準繩；提醒人們知遇感恩的井卦，乃是固守社會倫理道德

的地標；啟迪人們順天知命的巽卦，乃是彰顯社會倫理道德的規制。再進一步探討，我們可以明白：履卦，教導人們小心安穩地走到既定目標；謙卦，教導人們虛心不傲、完善人格；復卦，教導人們見微知著，未雨綢繆；恆卦，教導人們在是非含混的環境中要善於辨別善惡；損卦，教導人們勇於自我批評、自省自悟；益卦，教導人們多行善事、熱心公益事業；困卦，教導人們在窮困的時候守住道德底線、不斷修養自我，以迎接光明和通達時刻的到來；井卦，教導人們辨明正義，廣施惠澤；巽卦，教導人們順勢行令，推進事業的發展。

關於「三陳九德」，為何只列九卦，而不是其他諸卦？有學者認為《周易》六十四卦都是講道德修養的，但這九卦最為要緊，故單列出來，以示強調。如孔穎達說：「六十四卦悉為修德防患之事，但於此九卦，最是修德之甚，故特舉以言焉，以防憂患之事。」[1] 也有學者認為六十四卦儘管都是講道德修養之事，卻單列九卦，這只是聖人偶然提到，要列其他卦也是可以的，不必過於深究，如朱熹就持這種看法。當然，不論這九卦是最重要的還是偶然提到的，有一點是可以確定的，那就是《周易》六十四卦實乃修養道德的寶典。據長沙馬王堆帛書《要》篇記載，孔子晚年對《易經》有個總結性的述評，他說：

1　[魏] 王弼、[晉] 韓康伯注，[唐] 孔穎達正義：《周易正義》，北京：中國致公出版社，2011 年，第 296 頁。

「《易》，我後其祝卜矣！我觀其德義耳也。」[1] 孔子認為《易經》是古代聖王的遺教，具有使剛猛的人有所敬畏，教軟弱的人知道剛強，讓愚昧的人不敢妄為，令奸詐的人回歸正道的道德教化作用。因此，他認為《易經》是一本修養道德的聖典，而不像其他人認為的僅是一本卜筮之書。

「三陳九德」，目的何在？王夫之說：「此言聖人當憂患之世，以此九卦之德，修己處人。」[2] 意思是說，聖人處於憂患時期，以此九卦的德行修養自己，趨吉避凶。這種說法與《易傳》的論述是相吻合的。在「三陳九德」的前面還有一句話：「作《易》者，其有憂患乎？」也就是說，作《易經》的人大概是很有憂患意識吧，因此特別列舉了這九卦，反覆申明道德修養之義。

「三陳九德」對人們的道德修養提出了具體的要求。當今社會的人格教育，在加強宏觀理論教育的同時，還要有具體的、有針對性的修養內容，在這方面，易學的「三陳九德」可資借鑑。

1　丁四新：《楚竹書與漢帛書周易校注》，上海：上海古籍出版社，2011 年，第 529 頁。

2　[清] 王夫之著，[清] 曾國藩校刊：《船山易學》，北京：中央編譯出版社，2011 年，第 279 頁。

第二節　易學與治家之道

109. 如何理解「乾坤生六子」的家庭組織象徵？這一命題對於治家有何意義？

關於「乾坤生六子」，《說卦傳》有一個詳細的說明：「乾，天也，故稱乎父。坤，地也，故稱乎母。震一索而得男，故謂之長男。巽一索而得女，故謂之長女。坎再索而得男，故謂之中男。離再索而得女，故謂之中女。艮三索而得男，故謂之少男。兌三索而得女，故謂之少女。」此所謂「索」，即索求之意。依孔穎達《周易正義》的解釋，得乾父之氣者為男，得坤母之氣者為女。坤卦初爻求得乾氣則變為震卦，故曰長男。坤卦第二爻求得乾氣為坎卦，故曰中男。坤卦第三爻求得乾氣為艮卦，故曰少男。乾卦初爻求得坤氣為巽卦，故曰長女。乾卦第二爻求得坤氣為離卦，故曰中女。乾卦第三爻求得坤氣為兌卦，故曰少女。[1] 震、坎、艮三男與巽、離、兌三女，合稱為六子卦。乾坤二卦與六子卦就構成了一個八口之家：乾為父親，坤為母親，震為長男，巽為長女，坎為中男，離為中女，艮為少男，兌為少女。

關於「乾坤生六子」的治家意義，孔穎達在《周易正義》

1　[魏] 王弼、[晉] 韓康伯注，[唐] 孔穎達正義：《周易正義》，北京：中國致公出版社，2011 年，第 309 頁。

中指出,這是言明父子之道,也即規範了家庭中的倫常關係。
的確如此。乾坤二卦與六子卦,就自然界而言,指的是天地與
萬物的關係;就人類社會而言,就是一個家庭中父母與子女的
倫常關係。

　　乾坤為《周易》之門戶,家庭倫常關係始於乾坤,即夫婦
關係。《周易・序卦傳》稱:「有天地然後有萬物,有萬物然後
有男女,有男女然後有夫婦,有夫婦然後有父子,有父子然後
有君臣,有君臣然後有上下,有上下然後禮儀有所錯。」《中
庸》說:「君子之道,造端乎夫婦。」可以說,不論是父子之道、
君臣之道還是其他的人倫規範,都來源於夫婦之道。

　　《周易》集中體現夫婦之道的是《咸》《恆》二卦。宋代理
學家程頤說:天地是萬事萬物的根本,夫婦是人倫的開始。[1]
《荀子・大略》說:「《易》之《咸》,見夫婦。夫婦之道,不可
不正也,君臣父子之本也。」干寶說:「《易》於《咸》《恆》備
論禮義所由生也。」[2]《咸》卦艮下兌上,艮為少男,兌為少女,
卦象是男在下,女在上,如同《泰》卦乾下坤上,天地交泰,
只有這樣才能天地感而萬物生,夫婦和而人倫始。《周易・序
卦傳》云:「夫婦之道,不可以不久也,故受之以恆。恆者,久

1　[宋]程頤:《周易程氏傳》,北京:九州出版社,2011年,第123頁。

2　[唐]李鼎祚:《周易集解》,北京:中央編譯出版社,2011年,第316頁。
　按,本章引用時標點符號略有更動。

也。」古往今來，世事變遷，但是男女室家、夫婦之道，是人倫之始，這是人類社會亙久不變的。夫婦之道以正為前提，以和為貴。當今社會，更應該確立夫妻互相忠實、互相尊重、以誠相待、彼此寬容、和諧相處的原則。「夫婦正則父子親」，夫婦合乎正道，和諧相處，才能更好地教育孩子，培養出孝悌的子女，家道才能正，家業才能興。

110.《周易》的「家道」思想主要包括哪些內容？對於當今健康的家庭生活有何價值？

《周易》的「家道」思想比較豐富，比如《恆》卦的夫妻恆久之道、《家人》卦的治家之道、《歸妹》卦的家庭生活之道、《蠱》卦的規勸父母之道等。這些「家道」思想在歷史上影響很大，歷代的家書、家範大都有對這些思想的引述和闡發。《周易》的「家道」思想對於當今健康的家庭生活同樣有着重要的啟迪作用，下面就以《家人》卦和《歸妹》卦為例略作說明。

先說《家人》卦。《家人》卦闡述了家庭治理之道，孔穎達說：「明家內之道，正一家之人，故謂之『家人』。」[1]《家人》卦卦辭曰：「利女貞。」意思是說，家庭之道的根本在於媳婦守正，在於媳婦的德行。這個說法可謂抓住了家庭治理的核

1　[魏]王弼、[晉]韓康伯注，[唐]孔穎達正義：《周易正義》，北京：中國致公出版社，2011年，第157頁。

心要義。媳婦在家庭中的地位十分重要，上要孝敬父母，下要
教育子女，中要匡正丈夫。另外，因女子的身心特點，一個家
庭中的飲食起居、家務料理等工作也多由媳婦主持。若媳婦
勤勞守正、德行好，則可保證家庭生活順利和諧，家庭受人
尊敬。因此，程頤說：「家人之道，利在女正，女正則家道正
矣。」[1] 反之，一旦媳婦失道，則家道難興矣。可見，一個家庭
的興衰，女德關係重大。

再說《歸妹》卦。《歸妹》卦上震下兌，震為動、為長男，
兌為悅、為少女，以少女從長男，反映的是男女婚嫁之事。
《歸妹》卦對於家庭治理的啟示是多方面的，其中一項重要內
容就是要節制房事。男婚女嫁是人之大倫，也是人類繁衍後代
的需要。《彖傳》曰：「歸妹，天地之大義也。天地不交，而萬
物不興。」意思是說，天地要通過交合融通才能生發萬物，天
地不交則萬物不會興起。同樣，男女也要通過交媾才能產生後
代，這是《歸妹》卦對於人類繁衍生育的意義。但《歸妹》卦
卦辭曰：「征凶，無攸利。」是說，出征兇險，沒有甚麼好處。
從卦象上看，也是如此。歸妹之象是巨雷震響於澤水之上，危
厲恐懼，毫無喜氣可言，這又是怎麼回事呢？其實，這是《歸
妹》卦對於人類的嚴正警醒和勸誡，「『征凶，無攸利』」者，歸

1　[魏]程頤：《周易程氏傳》，北京：九州出版社，2011年，第146頁。

妹之戒也」[1]。在房事中，人類會得到慾樂，這種慾樂是短時間內大量消耗人類真元腎精產生的。慾樂的作用十分強大，《兌》卦《象傳》指出，慾樂可以令人們奔赴危難，即使有死亡的危險也在所不惜。要知道，房事的目的在於傳宗接代，需要調用男女最寶貴、最精華的真元腎精，若沒有慾樂的引誘，誰會拿出自己最寶貴、最精華之物呢？然而也恰恰是因為這一點，有人為了追求慾樂，不知節制，貪色縱慾，而喪失真元、身殘志損、百病滋生、耗生喪命。正是出於對這一問題的深刻觀照，《歸妹》卦提出了嚴重的警告：如果男女是正當夫妻關係，為傳宗接代而進行房事是可以接受的；但如果不知節制，徇情而動，貪圖慾事，則兇險必至，無疑矣！因此，在家庭生活中，夫妻雙方應互相忠實，懂得節慾，固本培元，積善成德，方能精力旺盛，家道中興。

111.《周易》在家庭教育方面有哪些論述？對當今社會的家庭教育有何啟示？

印光法師說：「治國平天下之要道，在於家庭教育。」[2] 家庭教育是各種教育的起點和基石，加上家庭教育的早期性和連

1　[魏] 王弼、[晉] 韓康伯注，[唐] 孔穎達正義：《周易正義》，北京：中國致公出版社，2011 年，第 215 頁。

2　印光法師：《上海護國息災法會法語》之《第二日說因果報應及家庭教育》，蘇州：弘化社，蘇出准印 JSE0001832 號，第 7 頁。

續性，使之對於個人的成長成才，對於經濟社會的發展穩定，對於國家民族的繁榮富強文明，都產生了極為重要的作用。《周易》中有一專論教育的《蒙》卦，下面就談談《蒙》卦對於當今社會家庭教育的啟示。

一是要高度重視家庭教育。《周易》對於教育的重視，可由《蒙》卦的位次而推知。《周易》前四卦是這樣排序的：先是《乾》《坤》兩卦，接着就是《屯》《蒙》。乾為天，坤為地，屯為萬物初生，萬物初生往往蒙昧無知，需要教育啟蒙，就是蒙。因此《序卦傳》說：「物生必蒙，故受之以蒙。蒙者，蒙也，物之稚也。」對於家庭教育而言，從懷孕開始，就應該實行胎教。有研究表明，胎兒在 6 個月時，各種感覺器官已逐步完善，對內外的刺激已有所反應。此時，母親的一言一行都要注意，遵守正道，適時與胎兒對話，保證胎兒的良好發育。孩子出生後，懵懂無知，更要盡快發蒙、啟蒙。《蒙》卦爻辭指出，孩童得到及時的啟蒙教育，能夠順利吉祥；反之，則會陷入蒙昧無知當中，而有悔吝之患。

二是家庭教育的重點在於養正。《蒙》卦《象傳》曰：「蒙以養正，聖功也。」意思是：孩童時期就培養他們遵守正道，這是至聖之功啊。也就是說，父母在孩子還小的時候，就要把養正作為家庭教育第一目標，培養他們純正無邪的品質，教育孩子遵紀守法，遵守倫理道德規範，養成良好的生活、學習習慣，塑造他們成聖成賢的氣度和規模。從歷史和現實看，養正

教育的一個絕好方法就是誦讀國學經典。國學經典是經久不衰的萬世之作。孩子小的時候，讓他們朗讀記誦這些萬世之作，涵養心性，培育氣質，從而天天跟聖賢「接近」，天天跟聖賢「對話」，奠定入聖之基。爾後，隨着時間的推移和閱歷的增加，他們會慢慢領悟經典，理解聖賢，同時會產生「會當凌絕頂，一覽眾山小」的感覺，站得更高，看得更遠，更好地理解人生，走好人生正道。

三是着力在五個方面做好家庭教育工作。家庭教育的內容是多方面的，然而《蒙》卦特別提出了五個方面的內容，我們應高度重視。蒙卦上卦為艮，下卦為坎，由這兩個經卦和互體卦可以構成五個別卦：解卦、師卦、復卦、剝卦、頤卦。由此可見，家庭教育要着力在這五個方面下功夫：《解》卦講的是危機處理教育，其核心是反身修德，即教育孩子遇到任何問題、挫折時都不可怨天尤人，要主動反省自己的過失，承擔相應的責任，並及時找出解決問題的方法，化解危機；《師》卦講的是人生之道，即教育孩子務必要遵紀守法，遵守正道，如此方能生活順利；《復》卦講的是因果教育，即教育孩子明因識果，諸惡莫作，眾善奉行；《剝》卦講的是生命教育，即教育孩子樹立正確的世界觀、人生觀、價值觀，做一個堂堂正正、有益於國家和社會的人；《頤》卦講的是養生教育，即教育孩子珍惜生命，學會生活，學會養生，保持身心的健康平安。

第三節　易學與治世之道

112. 聯繫當代社會治理問題，如何理解《周易》的「聖人之道」？

《繫辭傳》提出了聖人之道，認為聖人之道在《周易》中主要體現在「辭、變、象、占」四個方面，其云：「《易》有聖人之道四焉：以言者尚其辭，以動者尚其變，以製器者尚其象，以卜筮者尚其占。」

第一，「以言者尚其辭」。這說的是《周易》以卦爻辭的形式表達聖人對於世人的教導和訓誡。《繫辭傳》曰：「子曰：『聖人立象以盡意，設卦以盡情偽，繫辭焉以盡其言，變而通之以盡利，鼓之舞之以盡神。』」《周易》的卦爻辭是表達卦象的，卦象又是表達卦義的，因此可通過卦爻辭來理解卦象，由卦象來領悟卦義。孔子在帛書《要》篇中說：與《尚書》相比，《易經》的內容保存完整，而且裡面有古聖先王的遺言，要好好學習其中的人道教訓啊。《周易》的卦爻辭即孔子所說的聖人之遺言，是「極深研幾」之言，不能只照字面意思解釋，必須藉助卦象才能全面理解其含義。

第二，「以動者尚其變」。這說的是天地玄機不易掌握，《周易》將天地奧妙表達為六十四卦，以卦象的陰陽消長和卦序的推演來展示天地自然運行變化的規律，並以此告知人們，言行要與天地變化相一致，才能獲得自然的護佑。

　　第三，「以製器者尚其象」。這說的是《周易》六十四卦是對萬事萬物的抽象和模擬，人們可以藉助卦象來製作各種器物和工具。如《繫辭傳》中列舉的聖人造宮室大概取自於《大壯》卦的卦象，製棺槨大概取自於《大過》卦的卦象，製書契大概取自於《夬》卦的卦象，如此等等，都體現了器物製造與卦象的關係。

　　第四，「以卜筮者尚其占」。這說的是由於《周易》六十四卦反映着自然運行的規律，因此可藉助《周易》來推斷事物的發展動向。

　　就當代社會治理而言，《周易》的「聖人之道」有着廣泛而深刻的啟發和借鑑作用。下面就以「以言者尚其辭」為例簡要作一說明。

　　《大畜》卦六四爻辭：「童牛之牿，元吉。」童牛，指小牛。牿，是一種綁在牛角上使其不能頂觸人的短木。爻辭是說，這種牛本來非常兇悍，所以趁它小的時候給它的角裝上橫木，止住其野性，以防止它頂人，開始就吉利。當然，這是就字面意思而言的。按照「以言者尚其辭」的解經體例，可以解讀出更為深刻的意涵。從卦象上分析，《大畜》卦六四爻應於初九爻，「畜養」着初九之爻；初九爻處於整個卦的最下面，陽氣微小而容易畜養制伏，就如同牛小的時候容易控制一樣。就社會治理而言，指的是不好的事情剛剛萌發的時候，應及時制止，則能夠消除隱患，避免大的問題發生；相反，如果任其發展，等

到問題變大了，再去解決，就會造成大的損失，甚至是難以挽回的傷害。另外，根據社會治理中的「破窗效應」，如果一個小的問題出現，未能得到及時解決，就會引發一系列類似問題的發生，結果會導致更大的問題。因此，必須及時發現問題，消除隱患，避免重大事故發生。由此可知，「童牛之牿，元吉」看似是在講如何畜養牛的問題，實則是告誡世人要防微杜漸，「不治已病治未病，不治已亂治未亂」，講的是治身治國的大道。當然，《周易》中這樣的例子比比皆是，可以說如果能夠理解「以言者尚其辭」的要義，就會領悟到《周易》看似平實質樸的言語，實則都是開國承家修身的至言大道。

113.《周易》的憂患意識體現在哪裡？這種意識對後代產生了甚麼影響？

《周易》卦爻辭中流貫着深沉的憂患意識，後來經過《易傳》的解讀和闡述，這種憂患意識逐步發展成為一種體系，並對後世產生了極為深遠的影響，也使得憂患意識成為中國文化的基本精神之一。總的說來，《周易》的憂患意識主要體現在以下兩個方面。

一是卦爻辭中的憂患意識。《周易》卦爻辭中雖然沒有出現「憂患」這一獨立範疇，但卻包含着深沉的憂患意識，告訴人們要戒慎恐懼、防微杜漸，反躬自省、日夜惕厲，謙和處世、恆守正道，如此方能走好人生路。如《乾》卦九三爻辭曰：

「君子終日乾乾，夕惕若厲，無咎。」是說君子從早到晚都要
自我警醒，自強不息，即便到了晚上仍然精進不懈怠，以保證
每天的所思、所言、所行都能堅守正道，這樣才能保證不犯過
錯。這是告誡人們時刻保持思想警覺，時刻警惕自己的惰性，
時刻嚴格自律，慎勿放縱自己，要把好防微杜漸的關口，可謂
垂誡深遠。又如《坤》卦初六爻辭曰：「履霜，堅冰至。」是說
走路踩到霜，預示着寒冬不久將至，快要結冰了。這時就要及
時準備禦寒衣物，以免將來遭受嚴寒之苦。這是告誡人們不要
以為當前沒有危險就得過且過，不做準備，而是要懂得知幾早
辨、防微杜漸，看到苗頭性的問題就要及早處理，盡快解決，
這樣才能避免積重難返。另外，《周易》卦爻辭中，有不少的
「凶、悔、吝、厲、咎」等占斷之辭，都是提醒人們戒慎自律，
要有憂患意識。

　　二是《易傳》中的憂患意識。《易傳》對古經中的憂患意
識作了系統的梳理和分析，使其中的憂患意識得到更為全面
的彰顯。首先是對《易經》成書背景的說明。《繫辭傳》說：
《易經》應該成書於殷末周初吧，應該是文王與商紂王較量之
時吧。寫作《易經》的人，大概是很有憂患意識吧。因此，《易
經》中充滿了警惕危厲之辭，告誡人們時時刻刻都要警惕自
省、謙虛謹慎，千萬不要恣情縱慾，只有這樣才能避免傾覆的
危險，才能獲得健康平安，這就是《易經》要告訴人們的大道
啊。接着進一步提煉出《易經》的重德思想。《易傳》認為《易

經》產生於殷末德行敗壞、周朝道德昌隆之際。道德敗壞者遭
到上天的拋棄，道德昌隆者獲得上天的垂青，歷史昭然。於是
《易傳》提出，大到國家的興衰成敗，小到個人的安危禍福，
都是和道德直接相關聯的；而《易經》基於對歷史規律的深度
觀察，告訴人們要自強不息，進德修業，只有這樣才能趨吉避
凶，順利亨通。於是，《易傳》自然得到這樣一個結論：《易經》
所憂患的是對道之不明、德之不修、學之不講、聞義不能徙、
不善不能改的深深憂慮與戒懼，因此反覆囑咐世人務要居安思
危，常懷警惕戒懼之心，慎獨自律、反身自省、修德進業，以
求安康順利、基業長存。

《周易》的憂患意識，特別是由憂患意識引發出來的重德
思想，對中華民族產生了深遠的影響，成為中華民族綿延不絕
的思想基礎和精神動力，也成為中華文化的基因和精髓。可以
說，不論是先秦的諸子百家，還是漢唐儒學、宋明理學，以及
佛老之學，無不浸潤着《周易》的憂患意識、修德思想。時至
今日，《周易》的這種憂患意識仍在推動着中華民族尊道重德，
奮勇前行。

114.《周易》蘊含「法治」安邦與「德治」安邦思想嗎？這些思想對於當今社會治理有何價值？

《周易》蘊涵着豐富的「法治」安邦與「德治」安邦思想，
下面分別說明之。

　　一是「法治」安邦思想。《周易》的「法治」安邦思想，多側重於司法審判的內容。如《噬嗑》卦《大象》曰：「雷電，噬嗑；先王以明罰敕法。」是說要向民眾申明法律法規，嚴肅刑法，維護法律的權威性。《賁》卦《大象》曰：「山下有火，賁；君子以明庶政，無敢折獄。」是說對於案件的審理要遵循小心、謹慎、公平、公正的原則。《解》卦《大象》曰：「雷雨作，解；君子以赦過宥罪。」是說對於違法亂紀但能夠悔過者，可予以寬大處理。《豐》卦《大象》曰：「雷電皆至，豐；君子以折獄致刑。」是說對於違法犯罪者進行審判，並進行懲處。《旅》卦《大象》曰：「山上有火，旅；君子以明慎用刑，而不留獄。」是說對於案件的審判要嚴明、謹慎、及時，不拖延獄訟。《中孚》卦《大象》曰：「澤上有風，中孚；君子以議獄緩死。」是說對於案件要仔細、謹慎地進行審判決斷，對於死刑更是要慎而又慎，延緩執行死刑。

　　二是「德治」安邦思想。《周易》的「德治」安邦思想，多側重於德育方面。如《臨》卦《大象》曰：「澤上有地，臨；君子以教思無窮，容保民無疆。」是說要不遺餘力地推行教育，培養人民良好的德行。另外，《觀》卦《彖》「神道設教」，《觀》卦《大象》「觀民設教」，都強調道德教化的重要作用。《豫》卦《大象》曰：「雷出地奮，豫；先王以作樂崇德，殷薦之上帝，以配祖考。」提出用雅樂、正樂來淨化人心，移風易俗，提高民眾的道德水平。《蠱》卦《大象》曰：「山下有風，蠱；君子

以振民育德。」是說當道德出現滑坡時，更要大力教誡百姓，全力引導人民培育道德。

《周易》蘊涵的「法治」安邦與「德治」安邦思想對於當今社會治理仍然有着十分重要的價值和意義。第一，要加強道德教育。孔子說：「我非生而知之者，好古，敏以求之者也。」[1]又說：「生而知之者，上也；學而知之者，次也；困而學之，又其次也；困而不學，民斯為下矣。」[2]唐代韓愈在《師說》中說：「人非生而知之者，孰能無惑？」從歷史上看，人們大多不是生而知之的聖人，都是要靠後天的教育和學習才能明白人生的道理。故而《周易》不厭其煩地論及教育、學習之道。時至今日，這個結論依然是正確的。因此，在社會治理中要十分重視德育的重要作用，要系統設計，多措並舉，推進道德教育，構建終身學習體系，培養人格健全、身心健康的國民。第二，要進一步推進依法治國。俗話說，「沒有規矩，不能成方圓」，一個國家要獲得健康的發展，一方面要有倫理道德，另一方面還要有嚴明的法律法規體系。法律法規對於規範人們的行為，預防、打擊罪惡，校正、扭轉社會風氣有着不可替代的作用。當今時代，要進一步加強立法工作，完備法律體系；強化法律法規執行力，全面落實依法治國基本方略；還要增強全民的法

---

1 《論語‧述而》。

2 《論語‧季氏》。

律意識和法制觀念，引導大家知法、懂法、守法。第三，要嚴明謹慎審判各類案件。《周易》對於案件的審判十分重視，多次強調「明」「慎」二字。當今依然要遵循這個原則，案件的審理判決要嚴明，查清案件真相，依法進行判決；動用懲處、刑罰時，要依法依規，反覆斟酌，慎而又慎。

第十三章　易學與歷史文化

第一節　以史解《易》

115. 古代以史解《易》的著作主要有哪些？其主要內容和特點是甚麼？

朱伯崑先生對「以史解《易》」問題有一段精闢論述：「所謂引史證經，無非是引用歷代統治階級的政治歷史，特別是封建時代王朝興替的歷史，以附會《周易》的卦爻象和卦爻辭。這種附會反映了一種易學觀，即把《周易》看成是封建統治者治理國家的一部教科書。這樣，就更增強了《周易》一書在經學中的地位。」[1]

從發展立場看，以史解《易》的歷史大致可以分為五個時期：兩漢前之萌芽期、魏晉至隋唐之發展期、兩宋之成熟期、

1　朱伯崑：《易學哲學史》第 2 卷，北京：華夏出版社，1995 年，第 369 頁。

元明之推衍期、清代之極盛期。言及以史解《易》，自會想到宋之李光、楊萬里。然援史證《易》之風，古已有之。自《易經》出現之後，成書於春秋戰國之時的《易傳》中已有很多史證之例。而後至秦漢之際，雖未形成正式宗派，但此期間易學大家之作品中卻不乏以史解《易》之元素。焦贛、馬融、荀爽等人的易學作品均有以史解《易》的痕跡，如焦贛在《隨》卦辭的注釋中提到漢高帝及項籍事；鄭玄注《易》，也多舉史事以說經明義，可謂漢時以史解《易》之代表。然而鄭玄的著作存世不多，我們現在了解到的鄭玄易學思想，多從宋王應麟所撰《周易鄭康成注》等書中獲得。

魏晉以降，治《易》者繁多。王弼注《易》，也可見引史證《易》之例，較之虞翻，其例證雖然較少，卻頗具代表性。後之干寶、崔憬、侯果、何妥等人，亦繼之。魏晉至隋唐間，唯干寶之《易注》最為突出。干寶生於東晉，時值王弼易學盛行，故其書受到王弼的一定影響，又兼取費氏、京房、虞翻諸家，涉及兩漢互體、消息、五德終始等。其書最大特點即以史事證《易》，其中又以商周史事為重，很好地將商周歷史與京氏象數融通。干寶以史解《易》的目的是闡明義理，將自己的歷史觀念融入書中。他肯定了歷史變化的合理性，根據當時的政治需要，建構了君臣和諧的理想模式。質言之，干寶以史解《易》，關鍵在於通過史實說明德行的重要性，注古以論今，用以指導當世的德行，包括君臣之德行。縱觀其書，可以發現其

易、史互證的特點：注《易》時，引史事以闡明；解史時，又援引《易》之理。

　　兩宋時期是以史解《易》的成熟期。胡瑗、程頤可謂史事宗之倡始人，而後在司馬光、王安石、楊時、蘇軾、項安世等人的作品中，均可見以史解《易》之例。至於李光、楊萬里之《易》注，幾乎以史事證全經，堪稱兩宋以史解《易》之典範。李光的《讀易詳說》，與干寶相比，並未太多關注於易象的問題，而是着力於人事：通過對歷史事件的引證，表達自己對政治和社會的關注；提倡尊君尚賢，強調治國安邦；結合當時的社會環境，提出自己的政治見解，將哲學與政治結合起來。他援引歷史，使自己的觀點更具說服力，凸顯《易經》的現實指導意義。楊萬里的《誠齋易傳》，引用上古堯舜至宋的重大歷史事件，表達了「以史設教」的觀點，體現了他對社會的人文關懷。其書揭示了楊萬里的歷史觀：古今一也，希望通過對古史的梳理，找出適用於當時的歷史規律。楊萬里在援引歷史事件時，深入淺出，點到即止，這構成了他以史解《易》的一個基本特點。此外，他在強調史事的同時，注重象數，對卦氣、互體、爻辰之說均有採納，史易相通，六經互證。

　　元明時期主要為史事宗的推衍期，李簡、胡震、吳澄、蔡清、方孔炤、曾朝節、陸夢龍等人，均承襲兩宋之風，尤其受到楊萬里的影響。此時期以史解《易》雖然並未有突出成就，但也有個別成果值得一提，例如李贄《九正易因》，以史觀易，

以史統道，重視平等。書中多次引用楊萬里的觀點、例證，可見其對楊氏以史解《易》的認同。在論述中，李贄通過歷史人物、事件的表述來闡述個人的情感、觀點，以歷史呈現道德觀，強調歷史的教化作用。另如王夫之，其易學風格獨樹一幟，重視義理的同時也採用象數之說，注重以歷史事件來梳理易學義理，又用《周易》的思想來詮釋歷史。其主要作品為《周易稗疏》《周易外傳》《周易內傳》。王氏以史解《易》的特點是重視對《易經》中出現的歷史事件的考證，並結合占理之象數派思想，以達到全面說明義理的效果。

清代為史事宗的極盛時期，易學作品甚多，風貌各不相同，在援引史料的數量上有多寡之別，在方式類型上亦不盡相同。葉矯然《易史參錄》專以史事說《易》；胡翔瀛《易經徵實解》解六十四卦三百八十四爻，無不以史徵實；吳日慎《周易本義爻徵》、金士升《易內傳》引史以寄亡國之恨。前兩者對於經義幾乎不作訓詁發揮。《易史參錄》一書的最大特點體現在「參錄」二字上，即篇中很多史事的援引出自前人之書，甚至在某些卦爻辭的解釋上，只有援引而未抒己見。此外，重史事勝於闡釋義理、於文中流露個人感懷，也是其特點之一。錢澄之《田間易學》充斥着以史解《易》的內容，其特點主要為：直接以歷史人物或事件解釋卦爻辭，以歷史人物或事件來發揮義理。章學誠持「六經皆史」的觀點，這使其易學著述呈現濃厚的以史解《易》的氛圍。作為群經之首的《易經》，在章學誠

看來是了解上古歷史的重要史書材料。故而,他對《易》的認識,着重表現在對其史學價值的考證。彭作邦《周易史證》在引用史實時,涵蓋了各個朝代,這與之前的干寶偏好引用商周史事大為不同,不僅在時間上持續長,而且在形式上表現廣。該書基本做到了卦卦爻爻均引史以證,且史事與卦爻辭相契合。在引用史實的同時對其義理加以說明,也是他不同於他人之處。

116. 近代以史解《易》的學者主要有哪些?成就如何?

至近代,也湧現出許多以史解《易》的大家,在風格上與前人不盡相同。如沈竹礽《周易說餘》中對卦爻辭的史學解釋僅限於三卦,並且態度上以揣度為多,這表明其研究多屬片段性的感想,沒有構成一個完整的體系。儘管如此,他開創了20世紀古史論的先河,開始將《周易》視作一部古史書。到章太炎,其易學的史學特色就更加明顯。章氏以歷史學兼容社會學的方法解《易》,將其視為從蒙昧時代到民本意識形成的社會進化發展史。其書中採用了西方進化論和人類學、社會學理論,這與當時的時代背景有很大關係。西學東漸,西方思潮的湧入,不單體現在政治思想上,還表現在學術觀點和方法上。章太炎以史解《易》,但其解說僅僅到《否》卦止,以下諸卦則無解。從這點上看,章太炎的古史論研究規模較之沈竹礽

有所擴大，但仍未形成完整體系。

　　第一個提出系統的《周易》古史觀的是胡樸安。其《周易古史觀》一書，每卦篇首均冠以《序卦》論述該卦的文字，足見其對《序卦》的重視。他認為：「六十四卦之記事，銜接而下，毫無前後凌亂之處。」胡樸安以古史眼光看《周易》，不講宗派，擺脫義理、象數之別，僅以史實來解釋《周易》，視《周易》全書六十四卦三百八十四爻為中國遠古先民之發展史。同樣的觀點亦可見於郭沫若的易學思想。郭氏易學將《周易》視為了解古代歷史，特別是春秋和西周時期歷史的重要資料。他的研究打破了古代易學研究的路向，通過對《易經》中的材料進行分類，作為研究上古社會風貌的資料，為易學研究開闢了社會學研究之路。

　　同時期的顧頡剛開創了立足於歷史演進觀念的「古史辨派」，其主要觀點「層累地造成的中國古史」也影響到《周易》的卦爻辭考證，通過考辨，將卦爻辭反映的上古生活狀況層層剝離出來。由此觀之，顧頡剛的以史治易，目的是將《易》作為材料而服務於史學。這也是以史治《易》發展史上的一次轉變。強調材料的真實性，衝破經學的羈絆，使得其易學研究轉向科學化的方向，走上了考據、訓詁之路。

　　聞一多《周易義證類纂》一文中鈎稽的中國上古社會史史料達百條之多。其最大特點即以哲學觀重新審視《周易》，視其為研究歷史的原材料，將《周易》納入到現代史學當中。在

方法論上，採用中國傳統考據學的同時，也結合了西方的社會學、人類學、符號學、解釋學等方法。

117. 為甚麼說胡樸安《周易古史觀》別開生面？價值何在？如何評價其研《易》思路？

縱觀近代易學的發展，尤其是以史解《易》一路，胡樸安的易學著述是無法繞開的一環。胡樸安《周易古史觀》是第一部從古史角度系統注釋《周易》的著作。其書跳出歷來易學研究的範式，不受宗派束縛，不尊義理，不談象數，不蹈空而就實，不虛言而證史。胡氏認為《周易》一書是中國遠古先民之發展史，全書六十四卦三百八十四爻的注釋均與殷商之史實對應。其書以《乾》《坤》兩卦為緒論，以《既濟》《未濟》兩卦為終了。中間六十卦記載殷商周初六十事：上經自《屯》卦至《離》卦，為草昧時代至殷末之史；下經自《咸》卦至《小過》卦，為周初文王、武王、成王時代之史。六十卦記載順序俱有因果，如《革》卦，是周革殷命之事；《鼎》卦，是周革殷命以後正位之事；《震》卦，是正位以後治民之事；《艮》卦，是遷徙殷頑使之各安其土之事；《漸》卦，是殷頑遷徙之後教以組織家庭之事；《歸妹》卦，是殷貴族之女歸於男家之事。全書摒棄義理的解釋方法，強調文字訓詁。由此，六十卦與六十事相契合，自圓其說，不失為此書一大特點。以《謙》卦為例，傳統之解讀為君子修養之意，而胡先生從文字訓詁的角度，以

「謙」字解釋為「兼」字，認為此卦記載了王教民以稼穡的歷史事件。

胡樸安之所以以古史的眼光看待《周易》，一是因為易學史上歷來有以史解《易》的傳統，二是與其當時所處的時代背景有關。民國時期，西方思潮湧入中國，學術思潮激蕩，西方近代史學多重視社會史，尤其是西方社會制度的變革往往從歷史中尋找依據，胡先生身處此種大環境中，受到一定影響也不足為奇。

《周易古史觀》一書，不僅開創了 20 世紀易學研究的新局面，也為後世的哲學研究提供了新的方向。將六十卦看作殷周的斷代史，也為我們了解殷周時期的社會生活提供了很好的視角。且不論其內容表述是否有牽強之處，單就其獨特視角而言，也有開創之功。需要指出的是，《周易》一書中雖有不少史實，但將其完全等同於史書，事事句句坐實，難免以偏概全。胡氏認為六十四卦中間六十卦皆是歷史記事之文，無一字不解，無一句不說，但在具體解釋時卻失之於籠統，只說穴居野處、田獵遊牧、定居農耕、飲食遷徙、爭訟戰爭等邏輯上的先後次序，並無具體的時間線索。此外，胡氏書只重文字訓詁而不言象，這與《周易》本身觀象設卦的特點不符，也有不當之處。

第二節 《周易》的歷史積澱

118. 向來有「六經皆史」的說法，《周易》經傳涉及哪些重大政治事件？

「六經皆史」的說法由來已久，將《周易》視為一部上古人民社會的發展史，或者從經傳中考據歷史事件，歷來是易學研究的重要組成部分。《周易》經傳中涉及為數不少的重大歷史事件，梳理如下：

《大壯》卦六五爻辭：「喪羊於易，無悔。」《旅》卦上九爻辭：「鳥焚其巢，旅人先笑後號咷，喪牛於易，凶。」兩爻辭中提及的「喪羊」「喪牛」「易」與《山海經》《竹書紀年》和《楚辭》中提到的殷先人王亥事件相符。《山海經》引《竹書紀年》云：「殷王子亥賓於有易而淫焉，有易之君綿臣殺而放之。是故殷主甲微假師於河伯以伐有易，遂殺其君綿臣也。」而《旅》卦中論及「旅人」，有學者認為此卦描述了遷岐過程中的早周民族，同樣是當時政治事件的縮影。

《既濟》卦九三爻辭：「高宗伐鬼方，三年剋之，小人弗用。」《未濟》卦九四爻辭：「震用伐鬼方，三年有賞於大國。」兩爻辭中提及的「高宗伐鬼方」一事，也可以在《詩經》和《竹書紀年》中找到印證。《詩·商頌·殷武》說：「撻彼殷武，奮伐荊楚……昔有成湯，自彼氐羌，莫敢不來享，莫敢不來王。」《今本竹書紀年》於武丁三十二年記曰「伐鬼方，次於荊」，

三十四年記日「王師剋鬼方，氐羌來賓」。文中記載的「鬼方」指的是今汾水谷地平原及其北部至太行、常山一帶，是以遊牧民族為主的聯合體，勢力比較雄厚。殷商初年，該遊牧部落常侵擾邊地，掠奪財物，滋擾生產。如此一來，當時剛形成的安定的農業定居生活受到了嚴重的干擾，而且政治經濟的發展也受到了嚴重的威脅。為了維護國家安全和國民生活的安定，武丁指揮軍隊，集中主要力量對鬼方進行了時間較長、規模較大的征伐。文獻記載武丁用三年時間將其擊敗，從這可以看出當時鬼方的力量也是很強大的。

《泰》卦六五爻辭：「帝乙歸妹，以祉，元吉。」《歸妹》卦六五爻辭：「帝乙歸妹，其君之袂不如其娣之袂良，月幾望，吉。」兩爻辭中所記載的婚嫁之事是指商王帝乙（紂之父）將少女嫁給周文王，也從側面反映了殷末的商周關係。《詩·大雅·大明》云：「摯仲氏任，自彼殷商，來嫁於周，曰嬪於京。乃及王季，維德之行。太任有身，生此文王。」這是說王季之妃太任是由殷商娶來的，她是文王的母親。又云：「文王初載，天作之合，在洽之陽，在渭之涘。文王嘉止，大邦有子。大邦有子，倪天之妹。文定厥祥，親迎於渭。造舟為梁，不顯其光。有命自天，命此文王。於周於京，纘女維莘。長子維行，篤生武王。保右命爾，燮伐大商。」這是說文王娶妻的情形。

《明夷》卦六五爻辭：「箕子之明夷，利貞。」爻辭中提及的箕子，恰是殷商名臣，其中的「明夷」與箕子的事跡有關。

殷商之末，紂王暴虐，箕子屢諫而不納，便披髮佯狂，紂王遂將其囚禁為奴。武王滅商建周後，命召公釋放箕子，向箕子詢治國之道，箕子念殷商之故，不願做周的順民，選擇離開。

《晉》卦卦辭：「康侯用錫馬蕃庶，晝日三接。」說的是周康叔封戰勝敵人，獻馬於周王的故事。也有解釋為康侯勤奮為民，受百姓愛戴的。康侯指創業之侯，他把馬賞賜給老百姓，用這樣的方法來幫助百姓生產致富，每天多次接待來訪者。

《革》之《彖》說到「湯武革命」，此所謂「湯」即商湯天乙，他反抗夏桀的殘暴統治，建立起新的統治秩序；而「武」則指周武王，他推翻了商紂王的統治，建立西周。這兩次王朝更迭合稱為「湯武革命」。

119.《周易》哪些卦反映了古代的軍事活動？

除了直接反映政治事件的卦爻辭外，《周易》中的很多卦爻辭還向我們展示了古代的軍事畫面，這些畫面與《春秋》所描述的戰爭有許多共同點，將其視為軍事生活的真實記錄，是有據可依的。

《既濟》卦九三爻辭：「高宗伐鬼方，三年剋之，小人弗用。」此爻辭揭示了地處中原的殷王朝與西北民族爭戰的激烈與曠日持久。《師》卦集中闡發了《周易》對戰爭的深刻認識，其初六爻辭「師出以律，否臧凶」，強調軍隊的紀律；六三爻辭「師或輿屍，凶」，說的是兵敗卒死，車載屍體而歸，太不吉

利。《復》卦上六爻辭:「迷復,凶,有災眚。用行師終有大敗,以其國君凶,至於十年不剋征。」說的是不能迷途知返,必然兇險,這時如果有軍事行動,會大敗,累及國君,以至於十年之久都不能討伐敵人。這不僅反映了軍事行為,也揭示了當時初步的軍事理論。《同人》卦九三爻辭:「伏戎於莽,升其高陵,三歲不興。」此爻辭強調了伏擊戰的重要性。《同人》卦九四爻辭:「乘其墉,弗剋,攻,吉。」說的是要一鼓作氣,速戰速決,才能取得勝利。《離》卦上九爻辭:「王用出征,有嘉折首,獲匪其醜,無咎。」說的是君王親征,能鼓舞士氣。

120. 從《周易》經傳可以看到上古甚麼樣的民俗風情?

既然說「六經皆史」,那麼經傳當中除了反映政治軍事生活的卦爻辭,自然還有一些卦爻辭可以幫我們追溯當時的民風民俗。有了這個有機的組成部分,才可以說還原了較為真實的上古歷史風貌。

首先是反映上古婚嫁風俗的卦爻辭。上古時期,宗族子嗣的繁衍被視為重中之重,故而經傳中很多處都涉及婚嫁和生子的問題。如《歸妹》卦六五爻辭中提到「帝乙歸妹」,《泰》卦六五爻辭中同樣出現「帝乙歸妹,以祉,元吉」。關於帝乙具體指哪位君王,學界有所爭議。但不論具體指誰,可以確定「帝乙歸妹」說的都是殷商王室嫁女之事。《歸妹》卦集中反映

了當時的媵婚制。所謂的「反馬以歸」說的是婚禮結束後三個月的一個特殊禮儀，即男方家應及時將女方送嫁妝來的馬隊返還給女方家。「反歸以娣」說的是婚禮結束後三個月，在返還馬匹的同時，如果作為陪嫁的媵女即嫡妻之娣年齡太小還未成年，則在參加完婚禮後又返回娘家，待年長後再送到夫家。

《屯》卦六二爻辭：「屯如邅如，乘馬班如，匪寇，婚媾。女子貞不字，十年乃字。」描述的是當時民間搶婚的習俗。《睽》卦上九爻辭：「睽孤，見豕負塗，載鬼一車。先張之弧，後說之弧，匪寇，婚媾。往遇雨則吉。」形象地描寫了眾多化裝搶婚人的活動。也有學者認為這可能是巫俗在婚俗中的反映。《賁》卦六四爻辭：「賁如皤如，白馬翰如，匪寇，婚媾。」揭示了當時婚俗尚白，裝飾打扮白色素淨，整個迎親的馬隊皆為白色。爻辭中的「匪寇，婚媾」也再次印證了搶婚的風俗。

《同人》卦六二爻辭：「同人於宗，吝。」此爻辭從側面反映了西周時期的婚禮制度。「同人於宗」，即同姓相娶，這種行為與西周之禮不合，故為吝道。同姓不婚為周道，殷與殷以前婚姻則不忌同姓。此外，《姤》卦卦辭「勿用取女」，也契合了當時殷周婚俗中關於婚期的問題。殷商時期，將婚期定於第一年季秋至於第二年孟春。至周時，將殷制之婚期改為仲春，以仲春為婚月之正；三月至五月也可行婚禮；如遇夏晚，則要等到第二年仲春才可行禮。而《姤》卦所對應的時間已屬夏晚，因此說「勿用取女」。

　　六十四卦中，還有一些卦爻辭反映了當時社會的一些特殊的婚姻狀況。如《大過》卦九二爻辭：「枯楊生稊，老夫得其女妻，無不利。」比喻老夫得到少妻。《大過》卦九五爻辭：「枯楊生華，老婦得其士夫，無咎無譽。」比喻老婦得到少夫。《漸》卦九三爻辭：「鴻漸於陸，夫征不復，婦孕不育，凶；利禦寇。」揭示了當時的一種婚姻生活狀況：丈夫遠征不返家，婦女不能正常生育。

　　如果說先民將婚嫁視為宗族延續的必要環節加以重視，那麼祭祀則是先民生活中另一重大事件。前者反映出人們對於生命、對於未來的期冀，後者反映出人們對於祖先的景仰、對於不可抗力的崇拜。祭祀在商周的神權社會生活中佔有很大比重，尤其是皇室對祭祀頗為看重。六十四卦三百八十四爻中多處可見祭祀的痕跡，《易傳》中亦然。

　　在《萃》卦和《渙》卦中都曾出現卦辭「王假有廟」，這反映出君王到宗廟舉行祭祀典禮的情況：祭祀的主體是一國之君，祭祀的對象是天帝和祖宗。這也正是當時社會的真實寫照。祭祀往往以帝王為主。《鼎》卦之《象》曰：「聖人亨，以享上帝。」聖王用鼎烹飪（犧牲）以祭祀上帝。《渙》卦之《象》曰：「風行水上，渙；先王以享於帝，立廟。」風行水上為該卦卦象，先王見此，乃去祭祀上帝，設立宗廟供奉神靈，以防民心渙散。《豫》卦之《象》曰：「雷出地奮，豫；先王以作樂崇德，殷薦之上帝，以配祖考。」先王效仿雷出地奮的卦象，

作樂以增崇其德，舉行盛大的祭祀。

此外，古代祭祀十分強調祭祀的誠意，認為只要心懷敬畏，即使簡單的祭禮也可獲得吉祥。如《既濟》卦九五爻辭云「東鄰殺牛，不如西鄰之禴祭，實受其福」，東鄰殷商殺牛舉行盛大的祭祀典禮，還不如我西周舉行簡單的祭祀而實際受到上天的賜福。從這點也可以看出當時人們對祭祀的態度十分誠摯。

祭祀活動發展到後期，儀式當中的一些特有動作慢慢演變為歌舞。祭祀不再僅僅是表達對神靈、祖先敬意的活動，由其演變而來的歌舞慢慢融入人們的日常生活中。《周易》中的一些卦爻辭也反映了上古先民的文化生活。上文提到的《豫》卦之《象》中：「先王以作樂崇德，殷薦之上帝，以配祖考。」先王作樂，是為了祭祀神靈祖先。同時，舞樂的產生也大大豐富了先民的生活。由此亦可見，早期的舞樂是祭祀活動的一部分。此外，其他卦爻辭中也有關於樂器的描述：《離》卦九三爻辭：「日昃之離，不鼓缶而歌，則大耋之嗟，凶。」《中孚》卦六三爻辭：「得敵，或鼓或罷，或泣或歌。」當時的音樂器具類型較少，不外乎鼓或缶，甚至「不鼓缶而歌」即徒歌，可見，當時的音樂藝術還不是很發達。

除了文化生活之外，物質生活是人類存在的最基本表現，這在《周易》卦爻辭及《易傳》中多有反映，如漁獵、畜牧、農耕等。通過這些描述，我們可以得出結論：殷周時期人類生活

已經由雜居進入到定居狀態。如《屯》卦六三爻辭「即鹿無虞，惟入於林中」，《解》卦九二爻辭「田獲三狐，得黃矢」，《解》卦上六爻辭「公用射隼於高墉之上，獲之，無不利」，《旅》卦六五爻辭「射雉，一矢亡」，等等，從這些卦爻辭中可以看出當時田獵生活的風貌。畜牧業在《周易》的時代已相當發達，書中出現的家禽家畜就有牛、羊、豕、馬、雞等。如《離》卦卦辭「畜牝牛，吉」，《旅》卦上九爻辭「喪牛於易」，《大壯》卦九三爻辭「羝羊觸藩，羸其角」，《歸妹》卦上六爻辭「士刲羊，無血」，《大畜》卦六五爻辭「豶豕之牙」，《睽》卦上九爻辭「見豕負塗」，《睽》卦初九爻辭「喪馬勿逐，自復」，《中孚》卦六四爻辭「月幾望，馬匹亡」，等等。

第三節　易學的歷史精神

121.《繫辭傳》是如何把卦象解釋與歷史發展結合起來的？從中可以得到甚麼啟示？

《周易》一書中，卦爻辭的很多表述是歷史的縮影。而《易傳》當中的表述，也體現了一種歷史觀。如《繫辭傳》云：「是故闔戶謂之坤，闢戶謂之乾，一闔一闢謂之變，往來無窮謂之通⋯⋯是故《易》有太極，是生兩儀，兩儀生四象，四象生八卦，八卦定吉凶，吉凶生大業。是故法象莫大乎天地，變通莫大乎四時。」坤的闔（閉）和乾的闢（開）一應一合而生變化，

推動事物的變化發展。從太極到兩儀，到四象，再到八卦，天地萬物就是這樣一步一步進化來的。這段話反映了《周易》的自然發展觀。自然大環境具備後，有了孕育生命的條件，才出現了人類。說到人類社會的歷史發展，《繫辭下》第二章有明確的闡述：離中虛，像孔眼，又離為目，有網罟的象徵。包犧氏取《離》卦之象，編繩結網，以之為工具獵獸捕魚。數百年後，神農氏取象於《益》卦，砍削樹木製作成許多耕作器具，增強了工作效率，糧食增收。人民生活得到改善後，神農又規定中午為買賣時間，大家可以在指定的時間、地點相互交換所需物品，是取象於《噬嗑》卦。隨着人類社會的發展，至黃帝、堯、舜氏，生活日趨繁榮，舊時的制度已不適用，所以黃帝、堯、舜諸古聖人先王開始進行變革，設立百官，各盡其力，天下太平，以至於垂拱而治，這是取《乾》《坤》兩卦之象。古先民又取象於《大壯》卦，從上古時的洞穴時代進入到民居時代，建築宮室，上有棟樑，下有檐宇，以防禦風雨。聖人觀《渙》卦而鑿木成船，以便於來往互通；取《隨》卦之象而用牛、馬為車，以載重物赴遠地。發明杵臼，以利民食，是取象於《小過》卦。將小木條做成繩索弓，把木材削成箭，繼而用弓箭來征服天下，是取象於《睽》卦。古時喪葬，棄屍於荒野，僅在屍體上堆積木材。後聖人觀《大過》卦之象，制定喪禮，換用棺槨以殯葬，且規定服喪日期。後來又觀《夬》卦而立文書契據，告別了結繩記事的時代。如此一來，百官利於治理，

萬民賴於書契而有所稽查，不致誤事。

由此發展過程可以看出人類社會歷史變化的足跡：從「穴居而野處」到「易之以宮室」，從「葬之中野、不封不樹」到「易之以棺槨」，從「結繩而治」到「易之以書契，百官以治，萬民以察」，由原始雜居狀態慢慢過渡到了定居的文明時代，從原始社會開始進入到階級社會。

從《繫辭傳》可以看出：《周易》的自然歷史觀和社會歷史觀，深層的思想宗旨乃在於一個「變」字，只有變通，才能不斷發展。《周易》中反映出的這種變易，其本質是一種進步的表現。人們通過觀測了解並掌握了這種變化的規律，故而能夠更好地適應自然和治理人類社會，推動其發展。

122. 結合《周易》涉及的歷史事件，如何理解「原始要終，以為質也」？

《繫辭下》提出「原始要終，以為質也」，即要追溯事物的原始開端，歸納事物的終結，以探索事物的本質。「湯武革命，順乎天而應乎人」，商湯革夏命、周武王伐紂革商命，是順乎自然規律、合乎民心的大事。這裡的「順天應人」，充分肯定了湯武革命的合理性，在思想史上產生了重要影響。這種進步的歷史觀直接影響了漢代偉大的歷史學家司馬遷。他認為「桀紂失其道而湯武作……秦失其政而陳涉發跡，諸侯作難，風起雲蒸，卒亡秦族。天下之端，自涉發難」，歷史的發展規律應

是順天應人的：當暴政失去民心，違背天命，就會出現有識之
士揭竿而起，創造新的王朝。基於此歷史觀，司馬遷將普通的
農民起義領袖陳涉、吳廣的傳記列入「世家」，並緊列在大聖
人傳記《孔子世家》之後，充分肯定了陳涉起義的歷史作用，
而非站在官方立場批判他們為暴徒。從這點可以看出湯武革
命對後世社會發展的影響。《易傳》中也對湯武革命的合理性
作出了肯定，這其實是《周易》所折射出的一種社會歷史發展
觀，即順應規律才能存在。司馬遷的歷史觀也是如此。這種歷
史觀，「原始要終」可追溯至《易傳》。

123. 從《序卦》可以看出《易傳》甚麼樣的歷史觀？這種歷史觀對於理解人類歷史有何意義？

　　《序卦》從邏輯上解釋了六十四卦之間的排列關係，這種
排列反映了人類社會發展史的漸進過程。如《序卦》中解釋
說：「需者，飲食之道也。飲食必有訟，故受之以訟。訟必有
眾起，故受之以師。」由此描述可見，人類社會的文明史是從
飲食之道開始的。從茹毛飲血的原始生活到飲食之道的形成、
歸納，這是一步跨越，同樣也是《序卦》所反映的歷史觀，其
認為人類社會的發展首先是建立在基本的人性需求上的。儒
學發展至宋明理學時期所提倡的「存天理，滅人慾」與《序卦》
中所揭示的建立在人性基本需求基礎上的社會進化歷史觀背
道而馳。

　　「有天地然後有萬物，有萬物然後有男女」，一個「然後」，涵蓋了人類社會歷史發展中的漫長階段。「有男女然後有夫婦」，從原始社會的男女關係到婚姻制度的出現，又是人類進化史的一個標籤。「有夫婦然後有父子」，其中隱含了從母系氏族社會到父權制度出現的漫長過程。「有父子然後有君臣」，說的是從父權制度的簡單建立到完善的階級社會、國家機器的誕生。國家建立後，更加着重強調各種社會關係，強調禮儀。由此觀之，《序卦》不僅解釋了六十四卦的排序問題，更反映了人類社會的發展歷史。它從社會結構方面說明了社會的發展，對歷史階段性的意識十分清晰。其中隱含的對於國家起源的解釋，也十分接近歷史實際。

第十四章　易學與書畫藝術

第一節　易學與藝術審美

124. 當代學界研究《周易》美學思想的主要著作有哪些？各有甚麼特點？

關於《周易》美學的研究，北京大學葉朗所著《中國美學史大綱》[1]中設有專章「《易傳》的美學」。他認為，《易傳》（主要是《繫辭傳》）在美學史上的地位極其重要，它突出了「象」這個範疇，並提出了「立象盡意」和「觀物取象」兩個命題，從而構成了中國古代美學發展的重要環節。《易傳》的辯證法思想，對中國古代美學的發展產生了深遠影響，戰國時期儒家學者提出的「賦」「比」「興」這組範疇，對詩歌藝術中「情意」與「形象」關係的分析與概括，實際上就是對《易傳》所提出的

1　葉朗：《中國美學史大綱》，上海：上海人民出版社，1985 年。

「立象以盡意」命題的進一步展開。

　　武漢大學美學研究所劉綱紀所著《周易美學：新版》[1]，從《周易》原典出發，詳細闡釋了《周易》所包含的重要的美學思想。在緒論之後，逐一分析「美」「文」「大和」「剛」「柔」以及卦象的構成等的美學意義，最後指出「剛健篤實、光輝日新」是中國美學的偉大精神。該書成功地運用了將文字訓詁考證與思想理論分析相結合的方法，既注重考證的學術價值，通過訓詁並結合歷史背景弄清《周易》本文的含義，同時又更為強調思想分析，把《周易》的美學精神提至現代哲學的高度展開創造性的詮釋。如作者通過對《周易》有關美的文字詞語的考證，指出《周易》關於「美」的觀念也可以概括為一句話：「生命即美」。在古代思想史研究和古代美學史研究中，將美和生命聯繫在一起，無疑是非常精練而獨到的。該書的另外一個特色就是，注意將《周易》哲學和美學思想與西方哲學和美學中相關的思想加以比較，運用辯證的觀點分析其異同，評價其優劣。

　　復旦大學中文系王振復所著《大易之美：周易的美學智慧》[2]，運用文化人類學關於巫學的理念與方法解「易」，以既詩性又智性的文筆闡述了神秘而玄妙的易學世界，從探讀《周

　1　劉綱紀：《周易美學：新版》，武漢：武漢大學出版社，2006年。
　2　王振復：《大易之美：周易的美學智慧》，北京：北京大學出版社，2006年。

易》象數之學入手，揭示《周易》美學智慧的巫文化根因、時間哲學、生命意識、和兌境界、人格模式與太極理想。作者認為，《周易》卦爻符號系統是中華古人創造的文化符號「宇宙」，它包蘊着原始科學、原始巫術、原始藝術審美等萌芽因素。書中關於「時」與「和」的論述頗有創見。作者認為，《周易》美學智慧文化哲學的基因是「氣」，其內涵是「時」，由此構建了中華古代的人文時間美學觀，即尚「變」的美學觀；「時」與「氣」相連，「氣」的流動就是「氣」在「時」中的發展流變。《周易》之「和」乃生命之大美，而「和」最重要的文化和美學意蘊是指人的生命之「和」以及陰陽交合之「和」。「中和」是中華民族追求的崇高審美境界。

吉林大學文學院張錫坤和他的博士生姜勇、寶可陽所著《周易經傳美學通論》[1] 是近年來研究《周易》美學卓有成就的學術著作，其核心立意乃不滿於近百年來易學界形成的《周易》「經傳分觀」論，而提出「經傳貫通」的要求和主張。作者認為，易學由經到傳的發展，當視為一個解釋性創作的歷程；要真正接近作為易學經典文本的《易經》與《易傳》，討論其中的美學觀念，就必須對二者進行整合性的處置和理解，走出「經傳分離」的誤區。此即該書稱為「通論」的用意所在——

1　張錫坤：《周易經傳美學通論》，北京：生活·讀書·新知三聯書店，2011 年。

「通」，既是全整、通盤之「通」，也是貫通《經》《傳》之「通」，以此打破經傳美學研究嚴重失衡的現狀。該書體現出的創新之處在於：其一，攻克了《易經》美學研究的難題，最大限度地對其包含的美學思想作鈎沉，推進學界研究由傳到經的延伸和溯源；其二，找到了經、傳美學思想的差異與聯繫，納儒、道、諸子美學於其間，使上古美學思想的研究呈現出以《周易》為樞紐的系統性，為先秦美學思想研究的內在建構提供了一種新的學術範式。其三，打通了《周易》美學與文學理論、書畫理論等多個領域的關聯。這些創新對學術研究是有重要貢獻的。

安徽大學中文系王明居所著《叩寂寞而求音 ——〈周易〉符號美學》[1]，則運用符號學的原理論述周易美學。該書首先介紹了《周易》「天」「地」「人」的符號八卦「象」「重」「變」「動」等特點，然後論析了符號美學的自然美、社會美和藝術美的隱形系統，闡釋了「有無、虛實、文質、美醜、大小、悲喜」等範疇，「觀物取象、立象盡意、意象交叉、得意忘象」等意象，以及其邏輯判斷、二律背反、生命意識、陰陽剛柔、方圓、中和等特質，最後把《周易》與黑格爾、康德、萊布尼茨等西方哲學家美學思想作比較，以求拓展其美學內涵與審美價值。

1　王明居：《叩寂寞而求音 ——〈周易〉符號美學》，合肥：安徽大學出版社，1999 年。

　　江蘇大學藝術學院張乾元所著《象外之意：周易意象學與中國書畫美學》[1]，系統論述了《周易》「意象」「剛柔」「蒙養」「素」「賁」「神」「妙」等範疇的美學特徵，以及這些範疇所形成的文化觀念對中國書畫藝術的影響，並從易學意象學關於「物」「象」「意」關係的闡述入手，分析書畫藝術「觀物取象」「立象盡意」的審美觀照理念，解讀《書斷》《書譜》《石濤畫語錄》《宣和畫譜》《畫學心法問答》等重要的書學畫學典籍，破釋「五色文章黼黻」論、謝赫「六法」論等，首次從意象學的角度確立了中國書畫易學美學體系。

125.《周易》審美觀念可以概括為哪幾個方面？

　　《周易》作為我國古代最重要的文獻典籍之一，被認為是「群經之首」「大道之源」。它是中國古典哲學的源頭、華夏先民智慧的結晶，其思維方式幾乎對中國文化的方方面面都產生了深遠影響。《繫辭傳》說：「《易》之為書也，廣大悉備」，「以言者尚其辭，以動者尚其變，以製器者尚其象，以卜筮者尚其占」。後世的哲學、政治、經濟、軍事、宗教、科技、文學、建築、繪畫、武術等無不可以在《周易》中找到思想淵源。

　　同時，《周易》中包含着豐富的審美意識，並暗示了不少

1　張乾元：《象外之意：周易意象學與中國書畫美學》，北京：中國書店，2006 年。

審美規律。幾千年來,《周易》始終為人所津津樂道,不僅僅在於其占筮或相關功能,更在於其美學價值。它在總結我國先民的早期審美活動的同時,也奠定了後來華夏傳統美學的基石。在《周易》中,儘管直接闡述美學思想的文字並不多,但它在美學史上的地位卻極其重要,對中國古代美學的發展有着深刻的影響。《周易》的審美觀念主要表現在以下幾個方面:

第一,陰陽之道。

《周易·說卦傳》曰:「觀變於陰陽而立卦,發揮於剛柔而生爻。」世間萬物無非陰陽,《易經》用最原始最簡單的陰陽兩爻來表徵。如果說《易經》還只是以陰陽為基礎構建起來的符號體系,那麼到了《易傳》,陰陽則被提到了哲學高度,被賦予了無限豐富的內涵和解釋空間,以至世間一切事物乃至事物的內部構成和外在形式,都可以用「陰陽」這一對範疇來考察,陰陽範疇也就有了美學意蘊,在與剛柔的結合中演化為陽剛、陰柔的概念,而成為中國美學的核心範疇。

《周易》雖然沒有明確提出「陽剛之美」的概念,但對這種特質卻予以形象的描繪,並持一種肯定和頌揚的語氣和態度。如《豫》卦中說:「雷出地奮,豫;先王以作樂崇德,殷薦之上帝,以配祖考。」這種「雷出地奮」即充滿陽剛之美。《大壯》卦之《象》曰:「大壯,大者壯也。剛以動,故壯。」此可謂壯美。同時認為「雷在天上,大壯」──「雷在天上」這樣的景象,也是頗能給人以壯美或陽剛之美的感受的。《繫辭下》說:

「上古穴居而野處,後世聖人易之以宮室,上棟下宇,以待風雨,蓋取諸《大壯》。」這裡的「大壯」,同宮室的高大、雄偉、壯麗聯繫起來了。

《周易》對陽剛之美論述最詳之處乃對《乾》卦的解釋。因為乾代表天,且具有純陽至剛的特點,乾的美,實際是陽剛之美最集中的表現。「乾:元,亨,利,貞。」《周易》作者通過對大自然的直感觀察,認為「天」體現着元始、亨通、和諧有利、貞正堅固這四種德性。同時陽剛之美不僅表現在大自然的偉大力量之中,而且也體現為人的精神非凡與品格崇高——「天行健,君子以自強不息」的積極進取,敢作敢為、堅不可摧、勇猛精進的精神,及「修辭立誠」「順天應人」「與時偕行」「化成天下」的崇高道德品質。

《周易》中與「陽剛之美」並存的還有「陰柔之美」。在《周易》的卦爻辭中有些就體現了陰柔之美,如《坤》卦的「天地變化,草木蕃」,《蠱》卦的「山下有風」,《升》卦的「地中生木」,《中孚》卦的「鳴鶴在陰」。對「陰柔之美」論述最集中者還是《坤》卦。乾為天,坤為地,《乾》德以「統天」為本,《坤》德以「順成天」為前提,故《乾》剛《坤》柔。坤為地,具有純陰至柔的特點,《坤》的美,是陰柔之美最集中的表現。

《說卦》謂:「坤地也,故稱乎母。」在《周易》思想中,坤指代大地,象徵母親。而大地和母親均具有化育、承受、包容的德性,所以坤也有這種品質。《坤》卦之《象》曰「坤厚載

物，德合無疆」，其《象》稱「地勢坤，君子以厚德載物」。所謂「厚德」，就是一種寬厚、博大的愛。而最能體現這種愛的，首先是無私地撫育、照顧子女的母親，以及負載萬物使其順利生長的大地。因此在這裡，「坤」的「陰柔之美」，即是寬厚博大的母愛和崇高的道德品格的表現。《坤》卦之《文言》曰：「後得主而有常，含萬物而化光。」說明了其不為物先的含蓄之美，以及「含弘光大，品物咸亨」的包容廣大和滋潤萬物之美。

陰、陽既是宇宙生命運動中的兩種基本要素，同時其相互作用又構成宇宙運動的內在動力。在《周易》看來，陰陽不是孤立自存、彼此隔絕的，而是相互依存、相互補充、相互滲透、相互作用的。《周易》認為，陰陽的相互作用是宇宙萬物生成變化的根源——「剛柔相推，變在其中矣」「剛柔相推而生變化」，也是化生宇宙萬物生命機體的根本性力量：「天地氤氳，萬物化醇；男女構精，萬物化生。」這種對立與統一促進了事物的發展與變化，而《易傳》所確立的「一陰一陽之謂道」，更是把陰、陽提升為一對可以解釋一切現象及其存在的最高哲學範疇，並把陰陽變化規律看作統率天地萬物及社會人生的一個最為普遍的規律。

第二，貴和尚中。

《周易》每卦六爻中，都以二、五為「中」。二是陰之「中」位，五是陽之「中」位。二、五為「中」，相應為「和」，有「中

和」之美。在六爻關係上，又確定了柔居二位、剛居五位，是
剛柔得位得「中」又相應，體現着陰陽對立統一的整體和諧無
偏勝，完全合乎規律性。其占辭一般皆為「大吉」「元吉」和「貞
吉」。如果柔爻居五位，剛爻居二位，雖未得位但卻得「中」
而相應，可以互補而協同，仍保持着對立面的和諧與穩定，同
樣可以得吉辭。如果二、五之位的剛柔既不當位又不相應，雖
然不協同，但按《易》例規定，「中」大於「正」，在一定卦時的
制約下，柔得五之中位又意味着柔有陽剛之助而不過柔，剛得
二之中位又意味着剛有陰柔之補而不過剛，剛柔互補而適中，
如此亦可得吉辭。

　　據統計，「中」在《周易》中出現一百二十六次，其中，《易
經》中出現十三次，《易傳》中出現一百一十三次。其《彖》言
「中」者共有四十五處，涉及三十七卦。其《象》言「中」者共
有五十二處，涉及四十一卦。《周易》中與「中」相關的語彙還
有「中正」「正中」「得中」「剛中」「柔中」「中行」「使中」「在中」
「中直」「大中」「積中」「中道」「行中」「未出中」「久中」「位中」
「中未變」「中有慶」「中不自亂」「中心為正」「中心為實」等，
明顯地表明了尚中思想。《周易》還特別強調「時中」。所謂「時
中」就是根據客觀條件的變化，隨時進行調整而執「中」，以達
到靈活運用。這些足以表明，「中」，即陰陽對立面的統一和
諧，不僅僅是理論的問題，而且是作為一個極其重要的思想方
法而被普遍加以應用。

　　「中和」思想的理論基礎是「保合太和，乃利貞」。《周易》認為天地萬物的變易是絕對的，它們無論何時何地無不處於變化之中；但又並不否定事物的相對穩定和對立面的統一。朱熹在《周易本義》中說：「變者，化之漸；化者，變之成。」變化本身已包含着相對穩定性和統一性。

　　在陰與陽的內在關係中，協調、統一與和諧是基礎，和諧既是宇宙萬物的基本狀態，又是其最佳狀態。《周易》認為，陰與陽在本質上是和諧的，陰陽和諧也是天地萬物發展、變化的基本規律，所以《說卦》說「分陰分陽，迭用柔剛」，《繫辭下》說「陰陽合德，而剛柔有體」。《雜卦》又說：「乾剛坤柔，比樂師憂。」乾為剛，坤為柔，雙方互相親附，就會帶來歡樂；雙方互相對抗，就會帶來憂患。由此看來，要求陰陽和諧統一是《周易》的基本原則。清代思想家連斗山在《周易辨畫》中指出，「兩美相合為嘉」，也就是說，陽與陰乃世之兩美，有相感相合之德，陽遇陰則通，陰遇陽則明，這樣才能達到生命世界的亨通與繁茂。這是《周易》的核心思想，也是「中和」美學觀在《周易》中最完美的體現。

　　《周易・乾》卦之《象》曰：「乾道變化，各正性命。保合太和，乃利貞。」陰陽和諧是天地大化流行的根本，故謂之「大和」。「大和」也叫「太和」。所謂「大和」，就是陰陽對立面之力量的均衡無偏勝，矛盾雙方處於和諧統一的狀態。在這種狀態下，事物可以得到穩定的發展，故曰「乃利貞」。矛盾雙方

的「大和」狀態又叫作「中」，所以「大和」又作「中和」。清代惠棟說：「天地位，育萬物，中和之效也。」《三統曆》曰：「陰陽雖交，不得中不和，故《易》尚中和。」

第三，變易之美。

考證《周易》之「易」字本意，主要有以下幾種說法：

（1）《說文》云：「易，蜥易、蝘蜓、收宮也，象形。」其篆文字形正像蜥蜴之形，蜥蜴即壁虎類動物，以其能變色，故假借為「變易」之「易」。

（2）《周易乾鑿度》云：「『易』一名而含三義：所謂易也，變易也，不易也。」即「易」含有「簡易」「變易」「不變」三層意義。

（3）《說文》又引「秘書說：『日月為易，象陰陽也』」。虞翻《易注》引《參同契》云「字從日下月」，取日月更迭、交相變易為說，意義與《說文》所引相同。

《繫辭上》云：「聖人設卦觀象，繫辭焉而明吉凶，剛柔相推而生變化。」《繫辭下》云：「八卦成列，象在其中矣；因而重之，爻在其中矣；剛柔相推，變在其中矣；繫辭焉而命之，動在其中矣。」由此可見，書名之「易」，其要義大略為「變易」。古代典籍多簡稱其為《易》，意在強調「變化」是《周易》主要思想。

《易傳》認為，爻象和事物皆變動不居、往來有常 —— 其變化之中雖有規律，但並無固定模式，爻象及爻象象徵的事物

的變化對一般人來說是難以預料的。故《繫辭上》云：「成象之謂乾，效法之謂坤，極數知來之謂占，通變之謂事，陰陽不測之謂神。」以乾象徵天，以坤效法地，用蓍草數目占問未來之事，以通事物的變化；而數的奇偶和爻象的變化，常人難以推測，《易傳》把事物變化莫測的這種性質稱作「神」。

　　《周易》的核心是變易，「生生之謂易」即由變易而生，所謂「日新之為盛德，生生之謂易」，「易之為書也不可遠，為道也屢遷，變動不居，周流六虛，上下無常，剛柔相推，不可為典要，唯變所適」。又說：「爻也者，效天下之動者也。」在《易傳》看來，《易經》就是一部講宇宙萬物變化發展的書，生命亦在變化中誕生。「變化者，進退之象也；剛柔者，晝夜之象也。」此「象」，既是物象，又是卦象，始終貫穿着陰陽、剛柔、天地的消長變化。表現在自然現象上，是產生了風、雨、雷、電，日、月、寒、暑。《周易·噬嗑》卦之《象》曰：「剛柔分，動而明，雷電合而章。」天時的變化又影響着人事社會吉凶、悔吝等變遷，《革》卦之《象》云「天地革而四時成，湯武革命，順乎天而應乎人」。《繫辭》進而提出：「範圍天地之化而不過，曲成萬物而不遺，通乎晝夜之道而知，故神無方而《易》無體。」《周易》之法則涵蓋了天地萬物，包容了一切幽明生滅的變化原理，可以預知各種事物的吉與凶，卦爻象的變化無固定的方所，這就是《周易》卦爻象數的玄妙所在。

126.《周易》審美觀念影響中國書畫藝術的原因何在？

中國書畫藝術綿延幾千年，在世界藝壇獨樹一幟，不僅由於其工具材料的特殊，更因其獨特的藝術魅力和鮮明的民族風格，這些無一例外深受《周易》的影響。

《周易》用最簡單的陰、陽二爻代表宇宙中相反相成的兩種力量，陰陽二爻還代表奇數和偶數，同時，陰陽又兩位一體、兩相結合代表了宇宙的基本模式。中國傳統書畫藝術就其符號形態來看，都是線性藝術，而陰陽爻是線性藝術的萌芽。書法以線來造型，漢字的構造基礎——筆畫，都表現為線形；中國向有「書畫同源」之說，同樣，繪畫藝術也是線條美的體現。中國書畫皆是藉線條造型以傳情達意的藝術，是線與線連接疊加的審美創造物。若尋根溯源，線條表現的歷史，無疑以《周易》的卦爻符號為最早。《周易》的陽爻與陰爻，在某種意義上可以說是傳統書畫藝術線條美的「原型」。南朝宋書法家虞和《論書表》就有「爻畫既肇，文字載興」的說法，唐代李陽冰《上李大夫論古篆書》亦說「聖達立卦造書」。李樸園在其《中國藝術史概論》中指出：「書可以說起源於八卦，畫也可以說起源於八卦。」[1] 從符號學的角度來說，卦爻、文字、繪畫都屬於廣義的符號。唐代張彥遠在《歷代名畫記》中引顏

1　李樸園：《中國藝術史概論》，上海：良友圖書印刷公司，1931 年，第 16 頁。

光祿的一段話說：「圖載之意有三，一曰圖理，卦象是也；二曰圖識，字學是也；三曰圖形，繪畫是也。」[1] 張彥遠這裡所說的「圖載」，就是我們現代所說的符號系統。

《周易》所蘊含的中華民族的特殊思維是中國文化之所以造就出與西方文明不同的古代文明的一個重要因素。而作為中華國粹的中國書畫，長期遵循的便是以《周易》為代表的意象思維模式，這也是中國傳統書畫藝術深受《周易》影響的重要體現。《周易》卦爻符號是典型的意象符號，可以說卦象爻象本質上就是「意象」，它們雖然從物象中來，又比擬象徵萬事萬物之象，但本身並非物象，而是從物象中提煉的意象。

《周易》作為中華傳統文化的源頭，蘊含着豐富的意象思維。所謂意象思維，是指運用直觀、感性、形象的符號或概念，通過象徵、類比推理認識和把握對象世界的思維方式。以《周易》為母體的易學即通過卦爻符號以及「陰陽」「太極」「五行」等文字概念象徵和模擬宇宙萬事萬物，從而把握客觀世界，因此可以說，易學思維就是意象思維。

意象思維主要包含觀物取象、立象盡意兩個方面。觀物取象，是指從具體事物的形象到觀念中的形象，即卦爻符號確立的過程。《繫辭上》云：「聖人有以見天下之賾，而擬諸其

1　[唐] 張彥遠：《歷代名畫記》卷一，《津逮秘書》本。

形容，象其物宜，是故謂之象。」「古者包犧氏之王天下也，仰則觀象於天，俯則觀法於地，觀鳥獸之文與地之宜，近取諸身，遠取諸物，於是始作八卦，以通神明之德，以類萬物之情。」「天地變化，聖人效之。天垂象，見吉凶，聖人象之。」這裡的「象」，有兩層含義：一是客觀存在之物象。天地變化，四時更迭，萬物生化，這就是所顯現出來的、有形可見的「象」。二是卦爻象。卦爻象是對客觀萬物之象的效法或模擬。卦象是從具體事物中抽象出來的、內含客觀內容的符號，是對客觀自然之象的抽象，象徵萬事萬物。它是觀物取象的結果，是對客觀之象的仿效，因而具有一般符號的特徵，即直觀性、抽象性、象徵性和摹擬性，這種獨特的卦象之符號與萬物之形象相似。這種內含客觀內容、與萬物之形象相似的符號，不是客觀事物本身，卻在某種意義上可以指代客觀的具體的事物，是對客觀事物的反映。由具體事物的形象轉換為抽象中的形象或觀念中的形象，這也是人類認識世界的重要途徑。

這種觀物取象的思維方式是《周易》的重要思維方式，也是中華民族的傳統思維方式之一，而繪畫正是這樣一種典型的觀物取象的藝術。在中國繪畫中，所謂觀物，就是仔細觀察大自然呈現在外的形態、特徵；所謂取象，就是以筆墨線條來表現這種自然界之形象。這種取象思維要求畫者以客觀自然界為基礎去進行創作，表現自然之象。南齊謝赫的「六法」中，就以「應物象形」作為評畫標準之一。宋炳的《畫山水序》也

提出「以形寫形，以色貌色」的主張。清代畫家石濤深受《周易》的影響，他在《苦瓜和尚畫語錄》中提出「夫畫者，形天地萬物者也」，認為畫就是描繪天地萬物形象的。而要準確地描繪天地萬物，就要仔細觀察事物，觀察生活。

按照《易傳》的理解，觀物取象是《周易》文本得以形成的根本，沒有卦爻象符號，就不會有文辭，也就無法表達自然之道或聖人之意。但立象不是作《易》的目的，目的是為了表達聖人之意。所以《繫辭上》說：「子曰：『書不盡言，言不盡意。』然則聖人之意，其不可見乎？子曰：『聖人立象以盡意，設卦以盡情偽，繫辭焉以盡其言，變而通之以盡利，鼓之舞之以盡神。』」此「意」，即自然之道或聖人之意。這段話道出了《周易》意象思維的第二層含義 —— 立象盡意。《繫辭上》認為，不僅要通過觀物取象認識客觀世界，更要通過「象」的形式來表達「意」。如王弼所言，「夫象者，出意者也……盡意莫若象，盡象莫若言……象生於意，故可尋象以觀意。意以象盡，象以言著」[1]。其《周易略例·明象》指出，「象」的作用就是為了「盡意」，表達意的最好方式就是「象」，可以依據「象」來體會和窮盡「意」，無「象」則無以見「意」。人們通過這些「象」，就可以想像、推論出立象者心意中所想到的意境。

1　[魏] 王弼著，樓宇烈校釋：《王弼集校釋》，北京：中華書局，1980 年，第609 頁。

　　《易傳》中的這一論述對中國繪畫的影響非常深遠。中國畫強調意境，重視寫意，特別是清新柔和、淡雅純淨的中國山水畫，具有濃鬱的抒情性。這種抒情性，來源於中國山水畫家對自然的親近感受，作畫是為了寫意，也就是「盡意」。這種對「意」的強調，反映了繪畫觀念上的變化，即山水畫藝術的表現重點，已經從客觀對象方面轉向主觀意趣方面。眾所周知，山水畫是由畫中的景物所構成的景象體現的，一幅好的山水畫中的景物必然是典型景物的有機和諧組合。不僅要考慮到景物與景物的統一協調，還應特別注重選取與畫家心靈相通、最能展現自己心意的景物來進行山水畫創作，這樣的作品才會有生命力，也才會有感染力。與其說山水畫是描繪自然山川，不如說是描繪畫家自己心靈世界中的山川河流。因此，雖然說山水畫是以客觀物為對象的，卻又是最為主觀的心靈投影。

　　中國繪畫中的花鳥畫也是如此。與其說畫家是在表現這些自然界的花木魚蟲，不如說是在藉這些自然之物來表達自己的主觀情緒和審美情趣。傳統花鳥畫常見的題材比如梅的傲骨、蘭的清幽、竹的有節和菊的淡雅，無不投射了畫家自己的主觀情感色彩。注重「物」與「神」、「象」與「意」相融，是傳統中國畫的一個顯著特點。這正是傳承了《周易》的意象思維特質，所以南北朝王微《敘畫》引顏光祿云：「以圖畫非止藝行，誠當與《易》象同體。」

第二節　易學與書法篆刻

127. 歷史上有哪些書法篆刻家精通易學？易學對他們的書法篆刻實踐產生了怎樣的影響？

孫過庭，唐代書法家、書法理論家，名虔禮，以字行，吳郡富陽（今浙江富陽）人，一作陳留（今河南開封）人。擅長楷、行、草諸體，尤以草書著名。傳世書跡有《書譜》《千字文》《景福殿賦》三種，都是草書墨跡，其中成就最高、影響最大的要數《書譜》。

孫過庭在書法理論方面的成就也是巨大的，其書論之精華集中在《書譜》中，歷代研究書法者多奉為圭臬。在《書譜》三千七百字中，涉及書法發展、學書師承、重視功力、廣泛吸收、創作條件、學書正途、書寫技巧以及如何攀登書法高峰等課題，至今仍有現實意義。《書譜》不僅是中國古代書法理論的經典，在書寫藝術上也是草書之典範。

孫過庭《書譜》闡述了易變思想對書法的創造過程、發展過程的制約和啟迪作用，通篇彰顯了書法沿革與易學變化思想的淵源關係，並將《周易》哲學範疇轉化為書法範疇，將易學辯證哲理轉化為書法的美學義理，處處顯示出《周易》思想的影響和啟示。

如前所述，《周易》的核心思想就是「變」。《周易》是關於變的哲學，「變易」是它最本質的特徵。司馬遷說：「《易》著

天地、四時、陰陽、五行，故長於變。」[1] 熊十力《體用論‧贅語》謂：「《易經》，古稱變經，以其闡明變化之道故。」[2] 強調變化，強調變化的普遍性和規律性是《周易》哲學最重要的特點。

在書法領域，針對藝術風格在不同時代的發展演變，相當一部分人持「今不逮古，古質而今妍」觀點，認為古代的作品質樸並且具有深厚的內涵，而當代的作品徒具妍美的外表和形式。孫過庭明言：「夫質以代興，妍因俗易。雖書契之作，適以記言；而淳醨一遷，質文三變，馳騖沿革，物理常然。」[3] 在他看來，書法藝術風格的變革創新、質樸與文采的交替轉化再生都是隨自然、社會、時代的變化而產生的；這種不斷的變化，是符合書法藝術本身發展的常規的。

變化不僅體現於書法風格，同一作品的書寫運筆也要講究氣韻生動，這才符合「一畫之間，變起伏於鋒杪；一點之內，殊衄挫於毫芒」[4] 的審美規律。書法每一個筆畫都有提按、起伏、輕重、粗細、長短、肥瘦、緩急的區別，只有細心體悟，靈活應用，方可達到「自然之妙有」的藝術境界。

1　[漢] 司馬遷：《史記》卷六十一《伯夷列傳》。

2　黃克劍、王欣、萬承厚編：《熊十力集》，北京：群言出版社，1993年，第66頁。

3　《歷代書法論文選》，上海：上海書畫出版社，1979年，第124頁。

4　[宋] 陳思：《書苑菁華》卷八，宋刻本。

　　孫過庭還指出，書法學習過程同樣體現了變易思想。他將整個學書歷程概括為三個階段：「至如初學分佈，但求平正；既知平正，務追險絕；既能險絕，復歸平正。初謂未及，中則過之，後乃通會。通會之際，人書俱老。」[1]人開始學習書法，必須依照一定的法則，經過一段時間的刻苦練習，掌握書寫的筆畫、結體、章法的基本規律和要求。這個階段必須「守規矩」「求平正」正如《孟子·告子上》所云，「大匠誨人必以規矩，學者亦必以規矩」。第二階段是在初級階段基礎上有所創新，有所發展，形成自己的風格特點。最後，書者對書寫技巧的駕馭已嫻熟自如，對書法的規律和認識已爛熟於胸，達到了自由發揮、超越法度的境界，這就是書寫的第三階段。孫氏有關成功書法家必經的三階段之論，體現的正是《周易》的「變」「化」之道。

　　在論及影響書法創作的諸種因素時，孫過庭提出了著名的「五乖五合」說：「又一時而書，有乖有合，合則流媚，乖則雕疏。略言其由，各有其五：神怡務閒，一合也；感惠徇知，二合也；時和氣潤，三合也；紙墨相發，四合也；偶然欲書，五合也。心遽體留，一乖也；意違勢屈，二乖也；風燥日炎，三乖也；紙墨不稱，四乖也；情怠手闌，五乖也。乖合之際，優劣互差。得時不如得器，得器不如得志。若五乖同萃，思遏手

1　《歷代書法論文選》，上海：上海書畫出版社，1979年，第129頁。

蒙；五合交臻，神融筆暢。暢無不適，蒙無所從。」[1] 這段話揭示了書法創作中精神狀態和創作情緒、創作環境、工具材料、創作慾望五個方面的問題：第一是心境，第二是情感，第三是時令，第四是工具，第五是創作慾望。其中一、二、五是主觀因素，三、四是客觀條件。他認為創造者的主觀精神狀態在創作中往往起着決定性的作用，是書法創作的主因。這就是他所說的「得器不如得志」。

孫過庭「五乖五合」說並非隨意提出，更非沿襲他說，而是他經由長期書法實踐，加之深入體悟易理而得出的藝術審美洞見。「五合」是指五種條件與書法創作相互配合，達到「神融筆暢」的效果。其中「乖」「合」的觀念如果追本溯源，乃來自於《周易》。《周易·繫辭上》說：「天數五，地數五，五位相得而各有合。」所謂「五乖」是指五種條件背離「和合」的創作狀態，孫過庭指出，「五乖同萃，思遏手蒙」。《周易》之《睽》卦正體現了「乖」的道理：就卦象而言，「上火下澤，二物之性違異，所以為睽離之象」；「『睽』者，乖異之名。物情乖異，不可大事」。[2] 這些都說明了「乖」在事物發展過程中的負面性。

劉熙載（1813—1881），晚清著名學者、文藝理論家、書

---

1 《歷代書法論文選》，上海：上海書畫出版社，1979 年，第 126—127 頁。

2 伍華主編：《周易大辭典》，廣州：中山大學出版社，1993 年。

法家、書法理論家、教育家，字伯簡，號融齋，晚號寤崖子，
江蘇興化人。《清史稿・儒林傳》評其：「平居嘗以『志士不
忘在溝壑』『遁世不見知而不慍』二語自勵。自少至老，未嘗
作一妄語。表裡渾然，夷險一節。」其著作有《藝概》《昨非
集》《四音定切》《說文雙聲》《古桐書屋六種》《古桐書屋續刻
三種》等，尤以《藝概》為顯，此書乃近代重要的文藝理論著
作。《藝概》共六卷，包括《文概》《詩概》《賦概》《詞曲概》《書
概》《經義概》，分別論述文、詩、賦、詞曲、書法及八股文等
的體制流變、性質特徵、表現技巧並評論重要作家作品等，
是劉熙載研習傳統文化藝術的理論總結。葉朗認為「劉熙載的
《藝概》，在某種程度上可以看作是中國古典美學的總結性的
形態」[1]。

　　作為「中國古典美學的最後一位思想家」的劉熙載，一生
以治經學為主，強調學者「要識得經文本旨分曉」，注重「以窮
經為主」[2]。而在「六經」之中，他又尤為推崇《易傳》，認為「制
義推明經意，近於傳體。傳莫先於《易》之《十翼》」[3]，還提出
了「以《易》道論詩文」[4] 的文藝主張。

　　劉熙載作為一名書法理論家，其書法理論著作《藝概・書

1　葉朗：《中國美學史大綱》，上海：上海人民出版社，1985 年，第 9 頁。

2　[清] 劉熙載：《藝概》卷六，清同治刻《古桐書屋六種》本。

3　同上。

4　[清] 劉熙載：《遊藝約言》，清同治刻《古桐書屋六種》本。

概》具有鮮明的總結性特點，在中國古代書論史上佔有重要地位。《書概》對傳統書法理論作了全面、辯證的總結，論述內容深入到書法藝術的本質、創作、字體、審美理想、標準和意境諸方面，對中國書法藝術的發展具有重要的理論意義。該書深受《周易》哲學思想啟發，在闡釋書法藝術的本質以及分析書法藝術規律和品評標準等方面，明顯帶有《周易》的思想烙印。

《書概》開篇展開的有關書法藝術本質的論述，就以《周易》的「意象」說為理論依據：「聖人作《易》，立象以盡意。意，先天，書之本也；象，後天，書之用也。」[1]

「立象以盡意」是《周易》的一個基本思想。如前所引，《周易‧繫辭上》說：「子曰：『書不盡言，言不盡意。』然則聖人之意其不可見乎？子曰：『聖人立象以盡意，設卦以盡情偽，繫辭以盡其言，變而通之以盡利，鼓之舞之以盡神。』」《周易》中的「意象」雖不能等同於書法中的「意象」，但兩者在以形象反映社會生活、表達思想方面卻是相通的。

劉熙載借用《周易》的意象理論闡述了自己對書法藝術本質的理解：書法之「象」乃書法家觀察模擬自然萬象而形諸筆端的筆墨形象，它是手段和方法，是「後天」；其目的，在於表達書法家的思想情感、審美情操。劉熙載更看重的是書法

1　《歷代書法論文選》，上海：上海書畫出版社，1979 年，第 681 頁。

藝術的抒情表意特性，所謂「楊子以書為心畫，故書也者，心學也」[1]，「寫字者，寫志也」「筆墨性情，皆以其人之性情為本」[2]，因而說「意」為「先天」。

　　劉熙載《遊藝約言》認為，書法和文學在抒發作者情感上並沒有高下之分：「陶淵明言：『常著文章自娛，頗示己志。』書畫家當亦云爾，彼蓋即以書畫為文章也。」否認徐季海關於書法在抒發感情的作用上弱於文學的說法：「徐季海論書，以為亞於文章，余謂文章取示己志，書誠如是，則亦何亞之有？」[3] 書法是一種特殊的形象藝術，但同時又與書家的個人情志密不可分，劉熙載認為在「示己志」上，書法並不遜於文學。在各種書體中，劉熙載又認為草書是最能表情達意的：「他書法多於意，草書意多於法。」[4]

　　《繫辭上》云「一陰一陽之謂道」，將宇宙分為陰陽相對的兩面，認為二者相輔相生，相對相成。劉熙載在《書概》中將《周易》這一思想運用於對書法風格和書體特點的論述：「立天之道曰陰與陽，立地之道曰柔曰剛。文，經緯天地也，其道惟陰陽剛柔可以概之。」[5]「文章書法皆有乾坤之別，乾變化，坤

1　[清] 劉熙載：《藝概》卷五，清同治刻《古桐書屋六種》本。

2　同上。

3　[清] 劉熙載：《劉熙載文集》，南京：江蘇古籍出版社，2000年，第751頁。

4　[清] 劉熙載：《藝概》卷五，清同治刻《古桐書屋六種》本。

5　[清] 劉熙載：《藝概》卷六，清同治刻《古桐書屋六種》本。

安貞也。」[1] 他認識到藝術美的本質是對立面的統一，而且藝術美的創造過程也是對立面相互依存、相互制約、相反相成、相生相長的矛盾運動過程，這就是藝術美之所以產生的內在根據。劉氏指出，書法風格主要分為陰柔和陽剛，優秀的書法作品要剛柔相濟，不可偏廢。「書要兼備陰陽二氣。大凡沉着屈鬱，陰也；奇拔豪達，陽也。」[2] 在他看來，王羲之的書法之所以被萬世推崇，就是因為達到了高度的陰陽統一與和諧：「右軍書以二語評之，曰：力屈萬夫，韻高千古。」[3] 書法之陰陽，不僅體現在書法風格的對立和統一，書法作品的方方面面，單字甚至是每一筆畫都有陰陽，把握其中的陰陽對立統一規律則是達到審美要求的關鍵：「畫有陰陽，如橫則上面為陽，下面為陰；豎則左面為陽，右面為陰。惟豪齊者能陰陽兼到，否則獨陽而已。」[4]

劉熙載對中國書法的五種書體特點用「動」「靜」、「簡」「詳」兩組相對的形容詞作了簡潔的概括：「書凡兩種：篆、分、正為一種，皆詳而靜者也；行、草為一種，皆簡而動者也。」書體表現出來的「動」和「靜」又不是絕對的，它們一方面對立，另一方面相互滲透，「正書居靜以治動，草書居

1　[清] 劉熙載：《劉熙載文集》，南京：江蘇古籍出版社，2000 年，第 751 頁。

2　《歷代書法論文選》，上海：上海書畫出版社，1979 年，第 713 頁。

3　同上書，第 694 頁。

4　同上書，第 709 頁。

動以治靜」。[1]

《周易》在肯定事物的運動變化永無窮盡的基礎上，認為事物發展到一定的程度，就會轉變為它的反面，這就是「物極必反」「否極泰來」兩句成語的最初來源。表現在藝術審美上就是美和醜是相對的而不是絕對的，到了一定的階段或程度，有可能向對立面轉化：「怪石以醜為美，醜到極處，便是美到極處。」[2]

128.《周易》的意象思維與書法篆刻的載體 —— 漢字存在甚麼關係？

書法是文字的藝術表現形式。文字的產生是出於實用目的，但它的創造卻包含審美的因素。宗白華說：「中國最早的文字就具有美的性質。」[3]漢字音、形、義三位一體的特點，也使得它具有審美性質。魯迅在《漢文學史綱要》中論文字的「三美」說：「意美以感心，一也；音美以感耳，二也；形美以感目，三也。」[4]

許慎《說文解字·序》稱：「古者庖犧氏之王天下也，仰則觀象於天，俯則觀法於地，視鳥獸之文與地之宜，近取諸身，

1　《歷代書法論文選》，上海：上海書畫出版社，1979 年，第 691 頁。

2　[清] 劉熙載：《藝概》卷五，清同治刻《古桐書屋六種》本。

3　宗白華：《美學散步》，上海：上海人民出版社，1981 年，第 135 頁。

4　魯迅：《魯迅全集》，北京：人民文學出版社，2005 年，第 354—355 頁。

遠取諸物，於是始作八卦，以垂憲象。及神農氏結繩為治而統其事，庶業其繁，飾偽萌生。黃帝之史倉頡，見鳥獸蹄迒之跡，知分理之可相別異也，初造書契。」可知八卦和文字是古代聖人「觀象於天」「觀法於地」「視鳥獸之文與地之宜」的結果，即從宇宙萬物的存在形質、運動發展規律中獲得啟示而創造的。在創造過程中，不僅有對一事一物的具體觀照，還有對性質不同事物之間的差異以及共同規律的認識，更有對宇宙總體及其本質的考察。許慎的說法來源於《周易‧繫辭下》：「古者庖犧氏之王天下也，仰則觀象於天，俯則觀法於地，觀鳥獸之文與地之宜，近取諸身，遠取諸物，於是始作八卦，以通神明之德，以類萬物之情。」

古代聖人取法天地之間的物象創造出八卦符號，而文字就在八卦基礎上發展而成。八卦符號常被後世視為文字之始，宋代學者趙汝楳《周易輯聞》說：「伏羲之卦，蓋文字之祖，象數之宗，理之寓而辭之所由出也。倉頡作字皆離合卦畫而成文，則字實祖於卦也。夫理無形也，形於辭則有畫，故聖人立象數以形之盡之耳。」[1] 將卦象看作文字之祖，推源於伏羲氏，這不僅從根源上確定了卦象的符號特質，而且揭示了其表意功能。

八卦符號的創立方法是「立象以盡意」。如前所引，《周

1　轉引自黃黎星：《易學與中國傳統文藝觀》，上海：上海三聯書店，2008 年，第 100 頁。

易‧繫辭上》云：「子曰：『書不盡言，言不盡意。』然則聖人之意，其不可見乎？子曰：『聖人立象以盡意，設卦以盡情偽，繫辭焉以盡其言，變而通之以盡利，鼓之舞之以盡神。』」「聖人有以見天下之賾，而擬諸其形容，象其物宜，是故謂之象。」

漢字的創造也同樣體現了《周易》這種「意象」思維模式。漢字的構成有所謂「六書」法度，許慎《說文解字‧序》云：「《周禮》：八歲入小學，保氏教國子，先以六書。一曰指事。指事者，視而可識，察而可見，上、下是也。二曰象形。象形者，畫成其物，隨體詰詘，日、月是也。三曰形聲。形聲者，以事為名，取譬相成，江、河是也。四曰會意。會意者，比類合誼，以見指撝，武、信是也。五曰轉注。轉注者，建類一首，同意相受，考、老是也。六曰假借。假借者，本無其字，依聲託字，令、長是也。」[1]「六書」是造字的原則和方法，考察其實際，「轉注」「假借」並不產生新字，只有「象形」「指事」「會意」「形聲」才是造字的根本方法，可分為兩類，即「文」和「字」。

《說文解字‧序》云：「倉頡之初作書，蓋依類象形，故謂之文；其後形聲相益，即謂之字。文者，物象之本；字者，言孳乳而浸多也。著之於竹帛謂之書，書者，如也。」「文」是「依類象形」，段玉裁注：「『依類象形』謂『指事』『象形』二者

1　《歷代書法論文選續編》，上海：上海書畫出版社，1993 年，第 4 頁。

也。」分析上述說法,「指事」「象形」屬於「初作書」,也就是說二者是較早的文字產生法則,其共同特點就是「依類象形」。它們的區別在於:「象形」是依隨實物形狀,用體現該實物特徵和規律的筆畫造字,如「日」「月」。這樣寫字就如同畫畫,象形體文字和圖畫沒多少區別。「指事」也是依類象形,但「指事」文字是「視而可識,察而可見」,如「上」「下」二字,必須由字的形象形體來考察其意義。「象形」體文字的形象字體是具體直接的,「指事」體文字的形象字體則有間接抽象的成分。但它們都是「依類象形」,以物象為本,其結構是「象—意」關係。

漢字的構造主要由三條途徑實現:一是直接模仿自然;二是根據意向所指作抽象符號;三是結合兩個單體文字構成新的文字。這三條途徑無不體現了《周易》意象思維方式的滲透。意象思維蘊含了古人對天人關係的哲學思考,這也是文字可以昇華為書法藝術的主要原因。

129.《周易》的陰陽理論與變化觀對書法篆刻實踐有甚麼指導作用?

陰陽是構成《周易》哲理思想的基本內核。《周易》以簡單的兩個符號代表陰陽,《繫辭上》說「一陰一陽之謂道」。《周易》的精髓就是用陰陽的對立統一,以及二者之間的相互滲透轉化,來揭示萬物運行發展的基本規律。而書法作為一種特別

的訴諸視覺的抽象藝術，正體現出陰陽對立矛盾而又和諧統一的運動規律。從點到線，由線成字，再通過字的組合，成為一幅完整的書法。這與《周易》理論一樣，遵循了宇宙造化之理：從無極到太極，由太極生四象，四象生八卦，推移演變為六十四卦。

中國書法也起源於《周易》「一陰一陽之謂道」的天地精神，東漢文學家、書法家蔡邕在其《九勢》中說：「夫書肇於自然，自然既立，陰陽生焉；陰陽既生，形勢出焉。」這句話深刻地揭示了書法藝術的本質，從哲學高度道出了書法藝術的辯證法則。書法與自然的關係包含着兩層：一是漢字和書法是受到宇宙自然及其陰陽作用的啟發而產生的，二是書法的創造和發展必須遵循自然之道，即陰陽運動的規律。

「書肇自然」就是要求書法表現宇宙萬物的存在和運動規律。「形」是書法落實在物質載體上的具體形態，「勢」則是這些形態之間的某種關係；「形」是有形的，表現於外的，「勢」是無形的，是一種運動或是暗示着運動的力。形勢統一、陰陽調和體現了書法把《周易》陰陽辯證思想作為自身理論和實踐的指南。這種認識，初唐書法家虞世南在其《筆髓論》也講得很明確：「字雖有質，跡本無為，稟陰陽而動靜，體萬物以成形，達性通變，其常不主。」

從書法形式上分析，一件書法作品的構成包含三個要素：筆法，即點畫表現；結體，即點畫安排；章法，即多字組合。

《周易》的陰陽矛盾觀也貫穿於這三個要素中，我們從古代書論中可見一斑。論用筆的：

> 書有二法，一曰疾，一曰澀。得疾澀二法，書妙盡矣。（蔡邕《筆勢》）
>
> 分間下注，濃纖有方，肥瘦相和，骨力相稱。（蕭衍《論書啟》）
>
> 最不可忙，忙則失勢；次不可緩，緩則骨癡……（歐陽詢《傳授訣》）
>
> 遲速虛實，若輪扁斫輪，不疾不徐……（虞世南《筆髓論》）

論結體的：

> 凡落筆結字，上皆覆下，下以承上，使其形勢遞相映帶，無使勢背。（蔡邕《九勢》）
>
> 有偃有仰，有敧有側有斜，或小或大，或長或短。（王羲之《書論》）
>
> 畫促則字勢橫，畫疏則字形慢；拘則乏勢，放又少則……（蕭衍《論書啟》）
>
> 橫多則分仰覆，以別其勢；豎多則分向背，以成其體。（蔣和《書法正宗》）

論章法的：

> 篇幅以章法為先，運實為虛，實處俱靈；以虛為實，斷處俱續。（蔣驥《續書法論》）
>
> 若抑揚得所，趨捨無違……（蕭衍《論書啟》）
>
> 終篇結構，首尾相映。筆意顧盼，朝向偃仰，陰陽起伏，筆筆不斷。（張紳《書法通釋》）

陰陽矛盾思想在筆法方面，體現於線條的纖濃、方圓、粗細、輕重、順逆、提按、疾澀、遲速等；在結體方面，體現於結字的疏密、鬆緊、向背、覆載、平正與險絕；在章法方面，體現於縱排與橫列、整齊與錯落、主與次、整體與局部。唐張懷瓘《論用筆十法》說：「謂陰為內，陽為外，斂心為陰，展筆為陽，須左右相應。」清馮武《書法正傳》在「筆法十門」中專設「陰陽門」，指出「二曰陰陽門，濃淡、去住、內外、肥瘦等」，自注「妙在有形者為陰，妙在無形者為陽」。如前所引，劉熙載在《藝概・書概》中說：「畫有陰陽，如橫則上面為陽，下面為陰；竪則左面為陽，右面為陰。惟豪齊者能陰陽兼到，否則獨陽而已。」[1] 書法形式的方方面面無不滲透了陰陽對立統一的矛盾規律。

1　《歷代書法論文選》，上海：上海書畫出版社，1979 年，第 709 頁。

　　曾國藩不僅是中國有影響的政治家、軍事家，而且還是有成就的文學家、書法家，他的書法圓潤秀勁，自成一家。他在家書中談及書法時說：「予嘗謂天下萬事萬理，皆出於乾坤二卦。即以作字論之：純以神行，大氣鼓蕩，脈絡周通，潛心內轉，此乾道也；結構精巧，向背有法，修短合度，此坤道也。凡乾以神氣言，凡坤以形質言。禮樂不可斯須去身，即此道也。作字而優遊自得，真力彌滿者，即樂之意也；絲絲入扣，轉折合法者，即禮之意也。偶與子貞言及此，子貞深以為然，謂渠生平得力，盡於此矣。」[1] 他把書法的形質，即字的點畫、結構形態比作坤道，把書法的神采即書法作品表現出來的精神、風采比作乾道，可以明顯看出受到《周易》的影響。

第三節　易學與傳統繪畫

130. 中國歷史上最具代表性的「畫論」「畫譜」有哪些？與易學關係如何？

　　中國古代的很多畫論深受傳統哲學思想的影響，如唐代張彥遠《歷代名畫記・敘論》對畫之功用的界說 ——「夫畫者，成教化，助人倫，窮神變，測幽微」[2]，明顯受到《周易》「範圍

1　[清]曾國藩：《曾國藩家書》，北京：宗教文化出版社，1999 年，第 34 頁。

2　《歷代名畫記・圖畫見聞志》，瀋陽：遼寧教育出版社，2001 年，第 1 頁。

天地之化而不過，曲成萬物而不遺，通乎晝夜之道而知，故神無方而《易》無體」的影響。除了思維方式與傳統哲學一脈相承，很多畫學概念和術語直接或間接來自於中國傳統哲學的經典著作，有的被加以創造性改造和發揮而賦予新的內涵，下面就選取受到《周易》影響的較有代表性的畫論作簡短論述。

石濤（1642—約 1707），清代畫家，中國畫一代宗師。明靖江王後裔，幼年遭變後出家為僧，半世雲遊，以賣畫為業。與八大山人、弘仁、髡殘並稱「清初四畫僧」。早年山水師法宋元諸家，畫風疏秀明潔；晚年用筆縱肆，墨法淋漓，格法多變。尤精冊頁小品。花卉瀟灑雋朗，天真爛漫，清氣襲人；人物生拙古樸，別具一格。工書法，能詩文。同時代的畫家王原祁評其「海內丹青家不能盡識，而大江以南，當推石濤為第一，予與石谷皆有所未逮」[1]。

石濤《苦瓜和尚畫語錄》是我國古代畫論中最完整、最系統，也是最深刻的重要著作之一，其地位有如文學理論批評著作中之《文心雕龍》。其中所體現的美學思想不僅對繪畫創作，而且對文學和其他藝術門類也有很大的啟發意義，在我國美學和文藝思想發展史上具有十分重要的地位。葉朗認為，《苦瓜和尚畫語錄》「是郭熙《林泉高致》之後最有價值的一部

1　[清] 馮金伯：《國朝畫識》卷十四，清道光刻本。

繪畫美學著作」[1]。

在書中，石濤提出了著名的「一畫說」來闡釋宇宙萬物的規律以及繪畫規律。第一章《一畫章》說：「太古無法，太樸不散，太樸一散而法立矣。法於何立？立於一畫。一畫者，眾有之本，萬象之根；見用於神，藏用於人，而世人不知。」

「一畫」作為《苦瓜和尚畫語錄》中的一個核心命題，是石濤展開一系列繪畫藝術理論思維的切入點，後面幾章的許多畫學概念，如「尊受」「蒙養」「生活」「資任」「筆墨」等，都是圍繞着這個命題展開的。關於「一畫」這個概念，一直以來是研究的一個熱點，也產生了許多分歧，學者們從不同角度加以闡釋。結合書中上下文，仔細分析「一畫」的具體含義，可以認為在《苦瓜和尚畫語錄》中，「一畫」是一個多義的概念，其主要內涵包括三個方面：一是用來表示更為具體的概念，也就是中國畫裡一筆一畫這一最基本的表現技法；二是關於藝術法則或創作方法的範疇，指繪畫藝術的根本規律和形式法則，即以一治萬，萬法歸一；三是作為一個哲學範疇和美學範疇，指宇宙萬物和藝術世界的生成、存在、發展、變化的根本規律和法則。

石濤的「一畫」論涵蓋形而上和形而下兩個方面：從形而下說，講的是繪畫技法中的一畫；從形而上說，講的是繪畫總

1　葉朗：《中國美學史大綱》，上海：上海人民出版社，1985 年，第 629 頁。

則和規律。石濤以此一畫論為基礎，論述了繪畫創作中法則和自由的統一、繼承和創新的統一、整體性和多樣性的統一。石濤的這一美學體系，使得繪畫史上關於創造自由的探討進入了一個更高的層次，更哲理化，也更具體化了。

追溯「一畫」說的起源，有的學者認為石濤晚年轉奉道教，其思想來源於老子《道德經》中的「道生一，一生二，二生三，三生萬物」。如郭因在《中國繪畫美學史稿》中說，一畫「相當於老子哲學中的道」。楊成寅在《石濤畫學》中認為，「《易經》之爻始於一畫，二畫象天、地，三畫象三才（天、地、人）；每卦六畫，發展成為八卦。一畫也叫『太極』」[1]。其立論基礎和理論依據來自《周易‧繫辭傳》：「《易》有太極，是生兩儀，兩儀生四象，四象生八卦，八卦定吉凶，吉凶生大業。」

從石濤本人的經歷來看，他極其喜愛《周易》，且有一定的研究。他的一幅山水畫上有自題詩句：「一別江淮不出山，閉門讀《易》通天者。」其《山水卷》《華山卷》題跋云：「太極精靈隨地湧，潑天雲海欲縱橫。」作為中國歷史上傑出的藝術家和藝術理論家，石濤一定熟諳傳統文化，對主導中國文化思想的儒佛道哲學有深刻的理解，並能融會貫通地創造性運用和發揮。當代研究中國美學卓有成就的朱良志認為：「石濤一畫說的思想淵源主要來自禪宗，並糅合了儒家思想、易學思想、

1　楊成寅：《石濤畫學》，西安：陝西師範大學出版社，2004年，第12頁。

道家思想等，形成了『一畫說』豐富的內在理論結構。這也是石濤那個時代三教圓融思想的一個體現。」[1] 這一說法可能更為貼切和接近事實。

早在南朝宋時，王微在《敘畫》中就曾論述「以圖畫非止藝行，誠當與《易》象同體」，將圖畫的功用從地位低下的「藝行」提升到了「與《易》象同體」這樣能夠客觀反映宇宙運行的最高自然規律的地位。把《蒙》卦和山水畫聯繫起來在石濤之前有元代畫家朱德潤，他在《山水圖跋》中說：「故君子以果行育德，象山下有泉；以返身修德，象山上有水；以懲忿窒慾，象山下有澤；以虛受人，象山上有澤。書不盡言，並著象意。」又在《跋王達善山水圖上》中說：「象外有象者，人文也；故河圖畫而乾坤位，坎艮列而山水蒙。蒙以養正，蓋作聖之功也。故君子以果行育德，象山下出泉。王君達善求予作山川之象……惟理至微，惟象至著。」[2]

在《苦瓜和尚畫語錄》的《筆墨章》中，石濤提出了「蒙養」與「生活」這對概念。書中這對概念有時聯合起來用，如「蒙養生活」「蒙養生活之理」「蒙養生活之權」，有時單獨用，此時「蒙養」與「生活」又各有不同的內涵。「蒙養」與「生活」都涉及審美對象的本質、形貌特徵和繪畫中筆墨的功能兩方面的

---

1 朱良志：《石濤研究》，北京：北京大學出版社，2005 年，第 24 頁。

2 〔元〕朱德潤：《存復齋集》卷七，《四部叢刊》本。

內容，可見是論述自然造化與繪畫創作關係的一對概念。

石濤的「蒙養」概念來自於《周易》的《蒙》卦。該卦的卦形是下坎上艮，艮為山坎為水，是典型的山水卦象。其象在於山水之間霧氣蒸騰。這是由於天地初開，雲行雨施所造成的。所以蒙卦表示事物的進一步生長，《象》曰：「山下有泉，蒙；君子以果行育德。」石濤是借用《周易》的《蒙》卦卦象表達自己關於山水畫的主張和理解。

《周易》以《乾》《坤》兩卦肇其始，《屯》《蒙》二卦隨其後。《屯》《蒙》為對卦，《屯》卦下震上坎，有「剛柔始交而難生」之象，因為「物始生而未通」，即象傳所說的「天造草昧」。屯，《說文》解：「屯，難也，象草木之初生，屯然而難。」嫩芽將露未露，有初始之象。而《蒙》卦有蒙昧不明之義。《周易·序卦傳》言：「有天地，然後萬物生焉。盈天地之間者唯萬物，故受之以《屯》；屯者，盈也；屯者，物之始生也。物生必蒙，故受之以《蒙》。蒙者，蒙也，物之稚也。」朱熹《周易本義》釋《蒙》卦云：「蒙，昧也，物生之初，蒙昧未明也。」王弼《周易注》云：「以蒙養正，以明夷涖眾。」

石濤對《周易》的《蒙》卦加以改造，賦予其新的意義和內涵而成為表達自己繪畫思想的一個概念。在石濤看來，山水畫創作絕對不是僅僅描繪大自然景物的外在形象，而是要表現出自然山水的原始生命力，這也就是中國傳統山水畫所說的「須明物象之原」（荊浩《筆法記》）。他認為山水畫創作要顯其

本原，明其物理，不失「真元氣象」。所以他在《山川章》中說：「得乾坤之理者，山川之質也；得筆墨之法者，山川之飾也。知其飾而非理，其理危矣；知其質而非法，其法微矣。」

石濤有時將《蒙》卦稱為「天蒙」，他說：「寫畫凡未落筆，先以神會。至落筆時，勿急迫，勿怠緩，勿陡削，勿散神，勿太舒，務先精思天蒙，山川步武，林木位置，不是先生樹後佈地，入於林出於地也。以我襟含氣度，不在山川林木之內，其精神駕馭於山川林木之外，隨筆一落，隨意一發，自成天蒙，處處通情，處處醒透，處處脫塵而生活，自脫天地牢籠之手，歸於自然矣。」[1]

石濤在一則題畫跋中談到了蒙養的問題：「寫畫一道，須知有蒙養。蒙者，因太古無法；養者，因太樸不散。不散所養者，無法而蒙也。未曾受墨，先思其蒙；既而操筆，復審其養。思其蒙而審其養，自能開蒙而全古，自能盡變而無法，自歸於蒙養之道矣。」[2] 通過這一論述可以更好地理解石濤「蒙養」的內涵及其與「一畫」的關係，「蒙」在這裡指的是宇宙最初、最原始的狀態，是無，是創化生命的本根，是先於「一畫」的。

石濤所謂「蒙養」，正是從天地混沌的原初自然狀態起，通過「一畫」這一繪畫的根本法則，破除混沌，開啟靈明，同

1　吳冠中：《我讀石濤畫語錄》，濟南：山東畫報出版社，2009 年，第 75—76 頁。

2　楊成寅：《石濤畫學》，西安：陝西師範大學出版社，2004 年，第 1 頁。

時又反過來對天地的原初精神進行培養和回歸，做到有法可依，又不為法所限，以達到「盡變而無法」的至法狀態。表現在繪畫中，則是運用筆墨法則進行變化，最終又能在變化中進行統一，從而表現出本真的山水之貌。

對於石濤「蒙養」意義的理解，朱良志有很多獨到、有創見的看法，他認為「蒙養」包含「天蒙」「鴻蒙」「童蒙」三層意思：「天蒙」的主要意義在於論析繪畫中順應自然之道，「鴻蒙」涉及「蒙養」和「一畫」的關係，「童蒙」表達了藝術表現的真實性問題。其基本意思是「強調回歸天道，以貞一不雜之理來持養性情」。「蒙養」是《周易》「蒙以養正」的縮略語，乃「對純一圓融之理的回歸」，「以純一不雜之天蒙養性靈之蒙昧」。[1]

宋代僧人畫家仲仁，自號華光長老，酷愛梅，寫梅有奇趣，創墨梅畫法，以墨漬畫梅，住衡州花光山。清徐沁《明畫錄》中有云，「古來畫梅者率皆傅彩寫生，自北宋華光僧仲仁始，以墨暈創為別趣」[2]。《華光梅譜》云：「墨梅始自華光，仁老之所酷愛。其方丈植梅數本，每花時，輒移床其下，吟詠終日，莫知其意。偶月夜未寢，見窗間疏影橫斜，蕭然可愛，遂以筆規其狀，凌晨視之，殊有月下之思，因此好寫，得其三

1　朱良志：《石濤研究》，北京：北京大學出版社，2005 年，第 64 頁。

2　俞劍華編著：《中國古代畫論類編》，北京：人民美術出版社，1957 年，第 1088 頁。

昧，標名於世。」[1] 此譜將象數和梅畫的創作聯繫在一起：

> 梅之有象，由制氣也。花屬陽象天，木屬陰而象地，
> 而其放各有五，所以別奇偶成變化。蒂者花之所自出，
> 象以太極，故有一丁。房者華之所自彰，象以三才，故有
> 三點。萼者花之所自起，象以五行，故有五葉。鬚者花
> 之所自成，象以七政，故有七莖。謝者花之所自究，復以
> 極數，故有九變。此花之所自出皆陽，而成數皆奇也。
> 根者梅之所自始，象以二儀，故有二體。木者梅之所自
> 放，象以四時，故有四向。枝者梅之所自成，象以六爻，
> 故有六成。梢者梅之所自備，象以八卦，故有八結。樹
> 者梅之所自全，象以足數，故有十種。此木之所自出皆
> 陰，而成數皆偶也。不惟如此，花正開者其形規，有至
> 圓之象；花背開者其形矩，有至方之象。枝之向下其形
> 俯，有覆器之象；枝之向上其形仰，有載物之象。於鬚亦
> 然。正開者有老陽之象，其鬚七；謝者有老陰之象，其鬚
> 六；半開者有少陽之象，其鬚三；半謝者有少陰之象，
> 其鬚四。蓓蕾者有天地未分之象，體鬚未形，其理已著，
> 故有一丁二點而不加三點者，天地未分而人極未立也。

1　王伯敏、任道斌主編：《畫學集成》，石家莊：河北美術出版社，2002 年，
　　第 388 頁。

花萼者天地始定之象，陰陽既分，盛衰相替，包合眾象，皆有所自，故有八結九變，以及十種。而取象莫非自然而然也。[1]

這段話完全以《周易》思維和術語來比附畫梅：「太極」對應「一丁」。木和花分屬陰、陽，「花屬陽象天，木屬陰而象地」。對應「二儀」有「二體」；對應「三才」有「三點」；對應「四時」有「四向」；對應「六爻」有「六成」；對應「七政」有「七莖」；對應「八卦」有「八結」；對應極數有「九變」；對應「足數」有「十種」。花有「至圓」「至方」之象；枝有「覆器」「載物」之象；鬚有「老陽」「老陰」「少陽」之象；蓓蕾有「天地未分」之象，花萼有「天地始定」之象。

於上述所舉畫論，可見《周易》對中國傳統繪畫影響之深。

131. 有人將中國畫創作稱作「墨戲」或「玩墨」，能否從其創作過程、創作技巧中看出易學底蘊？

繪畫中的「墨戲」或「玩墨」乃指遊戲筆墨之意。《辭源》中解釋：「戲筆，為隨意戲作的詩文書畫。」墨戲畫是中國傳

1　俞劍華編著：《中國古代畫論類編》，北京：人民美術出版社，1957 年，第 1041—1042 頁。

統繪畫中的一種獨特現象和類別，有着豐富的美學內涵。它是指創作主體在一種輕鬆、自在、無拘束的狀態下，以一種十分自由、毫無掛礙的心態從事書畫創作活動。墨戲畫在題材上涵蓋山水、小景、竹木樹石、蔬果草蟲、花鳥走獸乃至人物。

潘天壽在其《中國繪畫史》中指出，「至宋初，吾國繪畫，文學化達於高潮，向為畫史畫工之繪畫，已轉入文人手中而為文人之餘事……」[1]，「文同、蘇軾、米芾等出以遊戲之態度，草草之筆墨，純任天真，不假修飾，以發其所向；取意氣神韻之所到，而成所謂墨戲畫者」[2]。照此說法，墨戲在很大程度上應該是文人畫的雛形。

墨戲並不始於宋朝，早在南北朝時期，姚最就在《續畫品》中記載當時人物蕭賁「嘗畫團扇上為山川，咫尺之內，而瞻萬里之遙；方寸之中，乃辯千尋之峻。學不為人，自娛而已。雖有好事，罕見其跡」[3]。這種「自娛」已見墨戲的端倪。

晉穆帝永和九年（353）農曆三月初三，「初渡浙江，便有終焉之志」的王羲之，在會稽山陰的蘭亭（今紹興城外的蘭渚山下），與名流高士謝安、孫綽等四十一人舉行風雅集會。與

1　潘天壽：《中國繪畫史》，北京：團結出版社，2006年，第149頁。

2　同上書，第147頁。

3　俞劍華編著《中國古代畫論類編》，北京：人民美術出版社，1957年，第371頁。

會者臨流賦詩，各抒懷抱，抄錄成集。大家在遊戲中淡忘塵世間的種種煩悶，公推此次聚會的召集人、德高望重的王羲之寫一序文，記錄這次雅集。王羲之用特選的鼠鬚筆和蠶繭紙即興而就詩序草稿，《蘭亭集序》遂成中國書法史上千古不朽的名作。可以說，這次集會就是文人雅士的「墨戲」。

《宣和畫譜》記載宋代的畫竹名家文同「善畫墨竹，知名於時。凡於翰墨之間，託物寓興，則見於水墨之戲」。蘇軾《題文與可畫竹並敘》說：「斯人定何人，遊戲得自在。」描繪了文同作畫時輕鬆、自在的狀態。而正式提出「墨戲」一詞的是宋代詩人、書法家黃庭堅，其《題東坡水石》云：「東坡墨戲，水活石潤，與今草三昧，所謂閉戶造車，出門合轍。」由於當時文人名士的積極參與，宋代「墨戲」達到高潮，成為士大夫階層的一種時尚，表現形式極其豐富多彩。蘇東坡、李公麟、米芾、黃庭堅經常聚在一起談書論藝，酒至酣時，往往揮毫潑墨、作書作畫。其中，蘇軾無疑是代表性的領軍人物。他主張繪畫要抒寫主觀情感，注重個性的自由與情感的抒發，詩畫相通相融，畫作要有詩一樣的境界，物象要有鮮活的精神意境。蘇軾的繪畫實踐與他的主張使墨戲畫成為自覺的藝術行為，強調神韻，不拘形似，真誠抒發胸中意趣，這對後代文人畫的成熟和發展起到了決定性的作用。

潘天壽在其編寫的《中國繪畫史》中，從宋代繪畫開始，直至清代，每個朝代都專列一章論述當時的墨戲及其發展。在

他看來，墨戲畫是中國傳統文人畫的重要組成部分，也是後世一直貫穿水墨畫史的一條重要脈絡。

後來由於書畫、玩墨之風盛行，「玩」之領域擴大到與書畫相關的一切，諸如印章、印泥、筆、墨、硯、紙等。對於欣賞書畫的活動，人們習慣的說法是「玩味」「賞玩」「品鑑」。之所以說是「玩」，是因為在這種活動中，活動主體暫時忘卻了功利性考慮，以一種放鬆、遊戲的心態參與其中，獲得「無利害關係」的審美愉悅。

中國傳統書畫的主要表現手段是筆和墨，兩者交織融合而成墨象。墨戲之象作為審美意象的雛形，可以說是從「易象」的創造方式中獲得的。古人通過俯仰觀察天地萬物而獲取「易象」，從「觀物取象」到「立象盡意」，為後世人們的藝術構思和創作設立了思維模式。

中國漢字以象形為本源，而中國傳統繪畫語言亦來自對自然物象的高度模擬和概括，是最接近象形文字的抽象形式。它們一開始就包含着超越被模擬對象的符號意義，發揮了中國特有的線條象形藝術，發展了以往圖繪文飾的自由線條的曲直運動和空間構造，走向藝術之徑。從這種意義上來說，「墨戲」和《周易》有着內在的深層次的聯繫。正如《繫辭上》所說：「聖人設卦觀象，繫辭焉而明吉凶，剛柔相推而生變化。是故吉凶者，失得之象也；悔吝者，憂虞之象也；變化者，進退之象也；剛柔者，晝夜之象也。六爻之動，三極之道也。是故君

子所居而安者，易之序也；所樂而玩者，爻之辭也。是故君子居則觀其象而玩其辭，動則觀其變而玩其占，是以自天佑之，吉無不利。」

132. 中國畫的意境與易學「天人合一」精神有關係嗎？如果有，如何詮釋？

「天人合一」是中國傳統思維方式的基本原則。《周易》雖然沒有明確提出這一命題，但這一思想卻貫穿於整個易學體系之中。《周易》中的宇宙生成模式 —— 太極生兩儀，兩儀生四象，四象生八卦，八卦推衍至六十四卦，即已構成象徵人和自然的有機整體。《周易》的全部思想都建立在這樣一個根本的前提上：天與人是相通的、一致的，自然本身的運動變化所表現出來的規律也就是人類在活動中所應當遵循的法則。

《繫辭下》云：「《易》之為書也，廣大悉備：有天道焉，有人道焉，有地道焉。兼三才而兩之，故六；六者非它也，三才之道也。」天、地、人三才是統一、和諧的。就卦位而言，每一卦都有六爻，上兩爻象徵天，下兩爻象徵地，中間兩爻象徵人，構成天、地、人三才的「天人合一」之象。就卦義而言，無論是作為整體的六十四卦，還是作為子系統的個體卦，都是從不同方面說明「天人合一」之道的。中國傳統文化對於「天時」「地利」「人和」的強調，其根源與《周易》的天人觀不無關聯。

　　《說卦》云：「是以立天之道曰陰與陽，立地之道曰柔與剛，立人之道曰仁與義。兼三才而兩之，故《易》六畫而成卦。」《周易》正是通過這種符號系統，把一切自然現象和人事吉凶全部納入到由陰陽爻所構成的六十四卦卦象系統，卦爻分別代表各種不同的物象及其變化，從而貫穿天人之道於其中。在《周易》思想中，自然與社會、天與人有一種同構關係，這種關係就是以類相從：「本乎天者親上，本乎地者親下，則各從其類也。」正如《序卦傳》所說：「有天地然後有萬物，有萬物然後有男女……」《周易》把天地看作生命的來源，認為萬物產生於天地，人類則產生於萬物，因此，人和天地萬物具有不可分割的內在聯繫。六十四卦作為象徵性符號，從不同方面體現了這種生命意義，並且構成一個包括人與自然在內的有機整體。每一卦不過是有機整體中的一個要素，卻同時包含着人和自然這兩個方面，二者不僅是對應的，而且是統一的。所以作者自覺地從天地乾坤開始，按照萬物生成交替的規律，從天道到人道，將全部六十四卦有機地排列成一個天人和合的整體。故《乾》卦之《文言》云：「夫『大人』者，與天地合其德，與日月合其明，與四時合其序，與鬼神合其吉凶。」

　　「天人合一」作為中國古代文化的基本精神，作為全民族集體擁有的意識形態，不僅影響了中國古代的政治、倫理、道德、風尚，而且也深深地影響了中國古代的美學和藝術。它滲透到審美和藝術領域之中，直接或間接地推動了華夏藝術精神

的形成。中國傳統的書畫藝術追求意與象的溝通、情與景的融匯、人與天的冥合，歷代畫家把「天人合一」當作一種藝術精神，並將天與人體合無間作為繪畫的最高審美境界加以推崇。

西方繪畫主形似，主張將主體與客體對立起來，然後對客體進行客觀描摹和再現，力求逼真以達形似。而中國繪畫主神似，尤其是形神兼備，因此考慮的不是如何將主客二體對立起來，而是如何更好地讓主體與客體進行溝通，達到物我交融的狀態。中國畫從一開始就捨棄了一味摹仿自然、純粹追求感官愉悅的企圖。唐代張彥遠《歷代名畫記》載張璪名言曰：「外師造化，中得心源。」中國傳統繪畫理論認為，真正的美的創造是「造化」與「心源」碰撞的結果，在「心源」與「造化」觸動時那突然的震動和領悟中，誕生了中國畫的審美意境。這種美學理想，顯然遙承《周易》「天人合一」的哲學思想。

作為書法物質載體的漢字，其線性結構、象形特徵和書寫方法，直接來源於原始先民對大自然萬象的感悟。漢字本身就是受到宇宙自然規律的啟示而創造出來的，如前所引，許慎在《說文解字・序》中論述漢字的起源時說：「古者庖犧氏之王天下也，仰則觀象於天，俯則觀法於地，視鳥獸之文與地之宜，近取諸身，遠取諸物，於是始作八卦，以垂憲象。及神農氏結繩為治而統其事，庶業其繁，飾偽萌生。黃帝之史倉頡，見鳥獸蹄迒之跡，知分理之可相別異也，初造書契。」

書法藝術中，不同形式的線條有着不同的美感特質。線條

通過其粗細、長短、曲直以及節奏、輕重、提頓等變化構成了豐富的美感形式，表現大自然之美。正如東漢書法家蔡邕在其《筆論》中所說：「為書之體，須入其形。若坐若行，若飛若動，若往若來，若臥若起，若愁若喜，若蟲食木葉，若利劍長戈，若強弓硬矢，若水火，若雲霧，若日月，縱橫有可象者，方得謂之書矣。」[1]

林語堂對書法此種自然本質的論說十分精闢：

> 書法不僅為中國藝術提供了美學鑑賞的基礎，而且代表了一種萬物有靈的原則。這種原則一經正確的領悟和運用，將碩果累累。如上所說，中國書法探索了每一種可能出現的韻律和形式，這是從大自然中捕捉藝術靈感的結果，尤其來自動物、植物 —— 梅花的枝丫、搖曳着幾片殘葉的棉藤、斑豹的跳躍、猛虎的利爪、麋鹿的捷足、駿馬的遒勁、熊羆的叢毛、白鶴的纖細，或者蒼老多皺的松枝。於是，凡自然界的種種韻律，無一不被中國書法家所模仿，並直接或間接地形成了某種靈感，以造就某些特殊的「書體」。[2]

---

1 《歷代書法論文選》，上海：上海書畫出版社，1979 年，第 6 頁。

2 林語堂著，郝志東、沈益洪譯：《中國人》，杭州：浙江人民出版社，1988 年，第 257—258 頁。

書法的字形、章法的建構無處不體現出形式美的法則，但是這些法則也無一不是來自於自然本身，如平衡、對稱、多樣性統一等。唐代書法家孫過庭在其《書譜》中說：「觀夫懸針垂露之異，奔雷墜石之奇，鴻飛獸駭之姿，鸞舞蛇驚之態，絕岸頹峰之勢，臨危據槁之形。或重若崩雲，或輕如蟬翼。導之則泉注，頓之則山安。纖纖乎似初月之出天涯，落落乎猶眾星之列河漢。同自然之妙有，非力運之能成。」[1]「同自然之妙有」就是要求書法藝術以這些自然事物為範本，表現出它們自然而然的各種形態。只有像自然事物那樣自然而然地表現出「異」「奇」「姿」「態」「勢」「形」等各種各樣的形態，書法藝術才會達到神妙的境地。

　　相比於繪畫，書法高度抽象到完全以線條來完成藝術表現，同樣要求書法家把對自然物象的抽象概括與自己的心靈感悟結合起來，達到一種物我合一、冥合無間的境界。

1　《歷代書法論文選》，上海：上海書畫出版社，1979 年，第 125 頁。

第十五章　易學與詩詞樂舞

第一節　易學與詩詞

133.《易經》採用許多古代歌謠作卦爻辭，它們有甚麼特點？詩歌價值何在？

《易經》採用許多古代歌謠作卦爻辭，內容涵蓋勞動、祭祀、婚戀、戰爭等方面。其行文簡樸、句式生動、節奏流暢、韻律和諧，在內容和形式上都呈現出詩歌的特徵。明代王世貞在《藝苑卮言》中說：「凡《易》卦、爻辭、彖、小象，叶韻者十之八，故《易》亦《詩》也。」[1] 在上個世紀，也有不少學者注意辨析卦爻辭中的詩歌，如李鏡池在《周易筮辭考》一文中就特闢「《周易》中的比興詩歌」一節，討論卦爻辭中的詩歌問

1　[明] 王世貞著，陸潔棟、周明初批注：《藝苑卮言》，南京：鳳凰出版社，2009 年，第 18 頁。

題。[1] 從總體上看，《易經》採用的古代歌謠有四個特點：

一是語言簡樸，講究用韻。《易經》所採用的古代歌謠，大都是二言、三言或四言，在表達技法上已經注意用韻。清代學者俞樾說：「《周易》亦多用韻之文，亦有變文協韻者。」[2] 郭沫若也認為《易經》「經文的爻辭多半是韻文，而且有不少是很有詩意的」[3]。這種用韻的例子很多，如《需》卦六四爻辭「需於血，出自穴」，「血」與「穴」是押韻的；又如《同人》卦九三爻辭「伏戎於莽，升其高陵，三歲不興」，「陵」與「興」是押韻的；再如《中孚》卦六四爻辭「月幾望，馬匹亡」，「望」與「亡」也是押韻的。這些用韻的歌謠讀起來節奏韻律優美流暢、鮮明整齊、朗朗上口。

二是運用了賦、比、興的藝術表現手法。「賦」即鋪陳直敘，直言其事。如《中孚》卦六三爻辭「得敵，或鼓或罷，或泣或歌」，寥寥數筆，描繪了作戰勝利的情景：有的打鼓，有的休息，有的激動得淚流滿面，有的高興得載歌載舞。「比」即類比和比喻，用形象生動的事物類比本物，便於人們聯想和理解。如《鼎》卦九四爻辭「鼎折足，覆公餗，其形渥，凶」，以鼎足折斷、食物傾倒而出為類比，比喻德薄位尊、力小任

1　李鏡池：《周易筮辭考》，《周易探源》，北京：中華書局，1978 年，第 38—50 頁。

2　[清] 俞樾等：《古書疑義舉例五種》，北京：中華書局，2005 年，第 22 頁。

3　郭沫若：《中國古代社會研究》，北京：中國華僑出版社，2008 年，第 43 頁。

重，必致災禍。「興」即先言他物，然後藉以聯想，引出所要表達的哲理。如《漸》卦爻辭用了一連串的「興」── 鴻漸於干、鴻漸於磐、鴻漸於陸、鴻漸於木、鴻漸於陵，以鴻鳥漸漸棲息於某地來說明人事，揭示漸進之理。

三是在內容上具備了詩歌的意境。《易經》古歌謠採用一定的意象，構建出情景交融、虛實相生、充滿生命律動的詩意空間。如《乾》卦九三爻辭「終日乾乾，夕惕若厲」，說的是君子白天整日自強不懈、勤奮不已，直到夜間休息之時仍然戒懼警惕、提防危險，體現出濃厚的憂患意識和自強精神。又如《中孚》卦九二爻辭「鳴鶴在陰，其子和之。我有好爵，吾與爾靡之」，細膩地勾畫出鳴鶴同類相應，悠然自得，主人公邀請好友同席共宴的友好歡愉場景。

四是再現生活的直接性。《易經》採用的許多古代歌謠是先民表達思想、抒發感情的重要工具。這些古歌謠源於現實，直接表現生活。這種表現是直接的，生活是甚麼就是甚麼，坦白而直率。如《比》卦爻辭寫實地描述了一系列親比的過程和結果：若堅持正道、心有誠信，相互親輔，沒有災禍；親善內部人員，堅守正道，結果吉祥；與惡人結交，難免不受其害；結交外面賢明的朋友，守正道則吉祥；光明正大、合乎正道地交往，吉祥；一個組織沒有首領，內部不團結，結果不好。

概而論之，《易經》卦爻辭中的古代歌謠，是先民生活面貌的呈現，是遠古歌謠的集萃。其內容宏富廣博、意象明朗有

趣、語言簡明洗練、音韻和諧流暢，具有很高的藝術成就，特別是取自然之象，闡人生之理，以意象表達哲理的藝術手法，及反覆、對仗、賦比興等表達技法，為《詩經》及其後我國詩歌的形成和發展奠定了堅實的思想基礎。

134. 焦贛《易林》與《詩經》關係如何？怎樣評估《易林》的詩歌價值？

《易林》[1]，又名《焦氏易林》，西漢焦贛（字延壽）撰。此書按「卦自為變」的方法，以《易經》中每一卦各變六十四卦，六十四卦之變共為四千零九十六卦，每一卦配四言或三言等韻語占辭一首，共得四千零九十六首，稱為「林辭」。

《易林》與《詩經》關係密切，是一部融通《詩經》《易經》的文學巨著。聞一多認為《易林》是詩，並輯集《易林瓊枝》列於《風詩類鈔》《樂府詩箋》《唐詩大系》《現代詩鈔》等古今詩選之中。[2] 錢鍾書也認為《易林》與《詩經》基本上可以作為四言詩的樣板和法式了。[3] 從總體來看，《易林》與《詩經》的關係主要有兩點：

1　本章中《易林》引文，參見劉黎明：《焦氏易林校注》，成都：巴蜀書社，2011 年。

2　聞一多：《聞一多全集》第 4 冊，北京：生活·讀書·新知三聯書店，1982 年，第 3—669 頁。

3　錢鍾書：《管錐編》第 2 冊，北京：中華書局，1979 年，第 536 頁。

　　一是《易林》大量引用、化用《詩經》。據初步統計，《易林》中直接、間接涉及《詩經》的林辭有數百首。《易林》有直接徵引《詩經》詩句者，如《小過》之《漸》：「中田有廬，疆場有瓜。獻進皇祖，曾孫壽考。」用的是《詩經‧小雅‧信南山》的詩句「中田有廬，疆場有瓜。是剝是菹，獻之皇祖。曾孫壽考，受天之祜」。又如《小畜》之《大過》：「中原有菽，以待饗食。飲御諸友，所求大得。」其中的「中原有菽」出自《小雅‧小宛》，「飲御諸友」出自《小雅‧六月》。有用《詩經》詩意者，如《乾》之《臨》：「南山昊天，刺政閔身。疾悲無辜，背憎為仇。」用《小雅‧節南山》「節彼南山……昊天不惠，降此大戾」和《小雅‧十月之交》「黽勉從事，不敢告勞。無罪無辜，讒口囂囂。下民之孽，匪降自天。噂沓背憎，職競由人」二詩之大義。還有間接引用詩句進行加工改編者，如《屯》之《乾》：「泛泛柏舟，流行不休。耿耿寤寐，心懷大憂。」明顯化用了《邶風‧柏舟》首章「泛彼柏舟，亦泛其流。耿耿不寐，如有隱憂」的詩句。

　　二是《易林》運用了《詩經》賦、比、興的藝術表現手法。《易林》推衍《易經》而成，託象明義，善用賦、比、興的表現方法。章學誠說：「《易》象雖包六藝，與《詩》之比興，尤為表裡。」[1]

1　[清] 章學誠著，羅炳良譯注：《文史通義》，北京：中華書局，2012 年，第 33 頁。

「字字步趨《周易》」[1] 的《易林》亦不例外。王世貞在《藝苑卮言》中說《易林》「雖以數術為書，要之皆四言之懿，《三百》遺法耳」[2]。林辭善於用「賦」，鋪陳其事，如《坤》之《大蓄》、《家人》之《頤》、《頌》之《履》、《漸》之《鼎》、《益》之《小過》等。林辭亦多用「比」，如《否》之《咸》中的「衣敝如絡」「絲布如玉」、《比》之《復》中的「髮櫛如篷」、《坎》之《漸》中的「白雲如帶」等。起興之法亦常用，如《家人》之《漸》以執斧砍柴為起興，歌唱嫁娶之事：「執斧破薪，使媒求婦。和合二姓，親御斯酒。召彼鄰里，公姑悅喜。」

此外，對於《詩經》的擇詞造句、修辭用典、韻式韻位等詩歌技法，《易林》亦多有吸收和借鑑。

《易林》精於擬象，善於煉意，詩句古雅玄妙，韻文簡練上口，創造了豐富多采的意象，形成了曼妙動人的詩意空間，促成了自身文學意蘊的生成，讀後令人耳目俱融。可以說，《易林》是一部文學水平很高的四言詩集。此外，從《易林》所涉《詩經》的相關內容，還可以考見漢代《詩》學的信息。漢代傳習《詩經》有四家《詩》，即《魯詩》《齊詩》《韓詩》三家詩和《毛詩》。後來三家詩相繼亡佚，僅存《韓詩外傳》和《毛詩》。幸

1　[民國] 尚秉和著，常秉義點校：《焦氏易詁》，北京：光明日報出版社，2005 年，第 14 頁。

2　[明] 王世貞著，陸潔棟、周明初批注：《藝苑卮言》，南京：鳳凰出版社，2009 年，第 26 頁。

賴《易林》保存了不少三家詩的內容。如清代陳壽祺、陳喬樅父子《三家詩遺說考》就從《易林》中稽考出了一些《齊詩》。從這個意義上講,《易林》對於研究漢代《詩》學也具有重要的學術價值和意義。

135.《周易》審美思想對古代詩詞格律有何影響?

《周易》的變化觀、陰陽觀、「天人合一」觀以及象數思維、形象思維等審美思想對我國的書法、繪畫、音樂、詩歌、建築等藝術產生了深遠影響,其中陰陽和諧思想更是直接主導了傳統的審美情趣。

「《易》以道陰陽」[1],《周易》認為陰陽是自然中的兩種基本要素,陰陽相推又構成了宇宙發展變化的內生動力:「剛柔相推而生變化」[2],「剛柔相推,變在其中矣」[3]。在陰陽要素的配置中,陰陽和諧是最佳的狀態。在這種狀態下,萬事萬物才更容易生發生長:「天地氤氳,萬物化醇。男女構精,萬物化生。」[4]也才能體現出生命的優良品格和宇宙的中和之美。

1　[戰國] 莊子著,孫海通譯注:《莊子》,北京:中華書局,2012 年,第374 頁。

2　《周易‧繫辭上》,黃壽祺、張善文《周易譯注》,上海:上海古籍出版社,2004 年,第 496 頁。

3　同上書,第 530 頁。

4　同上書,第 542 頁。

　　《周易》確立的陰陽和諧思想對我國美學產生了深遠的影響，特別是其提出的「中和」審美格調已成為我國古代藝術理論和創作的基本原則。古典音樂講究的八音剋諧、書法創作重視的佈局均衡、傳統建築推崇的結構勻稱等，無不體現出平和典雅的美學追求。

　　與其他藝術形式一樣，《周易》的陰陽和諧審美思想對我國古代詩詞格律也產生了較大影響。古代詩詞格律是指詩詞用韻、平仄、對仗、字句等方面的格式和規則。《周易》的陰陽和諧審美思想對其的影響主要體現在以下四個方面：

　　一是陰陽和諧思想對詩詞用韻的影響。用韻是指在古代詩詞創作中，在某些句子的最後一個字，使用韻母相同或相近的字。這些使用了同一韻母字的地方，稱為韻腳。受《周易》陰陽和諧思想的影響，詩詞要求押韻，依靠韻腳有規律的前呼後應、往復迴環，使朗誦或詠唱時產生動態平衡和諧感。

　　二是陰陽和諧思想對詩詞平仄的影響。平指平直，仄指曲折。根據《切韻》《廣韻》等韻書，中古漢語有四種聲調，稱為平、上、去、入。除了平聲，其餘三種聲調有高低的變化，統稱為仄聲。平聲高揚、開朗、綿長，屬陽；仄聲低沉、收斂、短促，屬陰。《周易》陰陽和諧的審美思想要求詩詞調和平仄。格律詩要求聯內句間平仄相對，聯間鄰句間平仄相黏，如「仄仄平平仄，平平仄仄平。平平平仄仄，仄仄仄平平」。詞律的平仄要求更為嚴格。如此，平仄交錯出現，互相配合，音節錯綜和

諧，吟誦起來會產生抑揚頓挫的節奏感和舒展流暢的音樂之美。

　　三是陰陽和諧思想對詩詞對仗的影響。這裡以格律詩為例作一說明。從結構上看，格律詩上聯為陽，下聯為陰。《周易》陰陽和諧審美思想要求上下聯的對仗結構保持對立統一之關係，即上下兩句字數相同、句式相同、上下句間相對應的詞性相同或相近、上下聯的理意相聯或相關，從而使格律詩呈現對稱的辯證和諧之美。

　　四是陰陽和諧思想對詩詞字句的影響。《周易》和諧審美思想對詩詞字句同樣有着嚴格的要求和規定。如格律詩有五言、七言之分，其中四句為絕句，八句為律詩。這樣的格律形式，保證了每句字數為奇、為陽，每篇句數為偶、為陰，在結構上剛柔並重、奇偶相生，呈現出陰陽和諧的形態之美。

第二節　傳統音樂與易學法則

136. 有人說「音樂」與「易」同源，如何理解？

　　我國的音樂由來已久，源遠流長。關於音樂的起源，有人說「樂易同源」，對此，可以從三個方面來理解：

　　一是音樂和《易經》是同時起源的。《易經》由人文始祖伏羲氏初創，「人更三聖，世歷三古」[1]而最終成書。巧的是，

1　[漢] 班固撰，陳煥良、曾憲禮標點：《漢書》，長沙：嶽麓書社，2008 年，第 678 頁。

音樂也起源於伏羲氏時期。據相關文獻記載,在伏羲氏時期已經有了五十弦的瑟,其後黃帝時期產生十二律,帝舜時代有了六律、五聲、八音。

二是音樂與《易經》都取法於自然。「易」象天法地,取象於自然,不用贅言。與此相同,音樂的產生亦本於自然。《呂氏春秋・仲夏紀第五・大樂》中記載:「音樂之所由來者遠矣。生於度量,本於太一。太一出兩儀,兩儀出陰陽。」[1] 古人認為音樂的八音與自然界的八方之風相應和,如清王引之《經義述聞・春秋左傳中・八風》說:「樂之有八音,以應八方之風也。」[2] 八音指我國古代八種製造樂器的材料,通常指金、石、絲、竹、匏、土、革、木八類。《呂氏春秋・有始覽第一・有始》云:「何謂八風?東北曰炎風,東方曰滔風,東南曰熏風,南方曰巨風,西南曰淒風,西方曰飂風,西北曰厲風,北方曰寒風。」[3] 與八音相配,匏音生於東北,對應炎風;竹音生於東方,對應滔風;木音生於東南,對應熏風;絲音生於南方,對應巨風;土音生於西南,對應淒風;金音生於西方,對應飂

1　[戰國] 呂不韋等編撰,張雙棣、張萬彬、殷國光、陳濤譯注:《呂氏春秋譯注》(修訂本),北京:北京大學出版社,2000 年,第 121 頁。

2　[清] 王引之:《經義述聞》,《續修四庫全書》第 175 冊,上海:上海古籍出版社,2002 年,第 22 頁。

3　[戰國] 呂不韋等編撰,張雙棣、張萬彬、殷國光、陳濤譯注:《呂氏春秋譯注》(修訂本),北京:北京大學出版社,2000 年,第 336 頁。

風；石音生於西北，對應厲風；革音生於北方，對應寒風。亦
如《國語‧周語下》所言：「鑄之金，磨之石，繫之絲木，越之
匏竹，節之鼓而行之，以遂八風。」[1]

　　三是音樂與《易經》的基本原理都是陰陽理論。《易經》
主張陰陽的變化代表天道的運行規律，強調陰陽二氣相推、相
和，認為世上事物之變化都是陰陽相推的結果，並提出「一陰
一陽之謂道」的和諧思想。陰陽調和，萬物處於中和的狀態，
才更容易創造生發萬物。與此相同，傳統音樂認為音調的變化
也就是陰陽的變化，並用陰陽理論來解釋音樂的性質和作用、
審美標準，以及五聲、六律、八音等音樂現象。如《禮記‧
樂記》把陰陽和諧觀念應用於音樂審美，提出「大樂與天地同
和」[2]的說法。《國語‧周語下》也說：「夫政象樂，樂從和，和
從平。聲以和樂，律以平聲。」[3]傳統音樂將「五聲相和、律呂
相諧、陰陽相錯、平和適聽」作為衡量音樂美的理想標準，這
與《周易》所強調的和諧思想也是一致的。

1　[春秋] 左丘明著，李德山注評：《國語》，南京：鳳凰出版社，2009 年，第
　　45 頁。

2　[漢] 戴聖編著，魯同群注評：《禮記》，南京：鳳凰出版社，2011 年，第
　　153 頁。

3　[春秋] 左丘明著，李德山注評：《國語》，南京：鳳凰出版社，2009 年，第
　　45 頁。

137. 甚麼是五聲、六律、八音、八風、黃鐘律呂？與《周易》關係如何？

五聲也稱「五音」，即我國古代五聲音階中的宮、商、角、徵、羽五個音級。五音中各相鄰兩音間的音程，除角與徵、羽與宮（高八度的宮）之間為小三度外，其餘均為大二度。

六律即古代的六個音律，通常指黃鐘、太簇、姑洗、蕤賓、夷則、無射六陽律與大呂、夾鐘、仲呂、林鐘、南呂、應鐘六陰律。

八音是指我國古代八種製造樂器的材料，通常指金、石、絲、竹、匏、土、革、木八類。鐘、鈴等屬金類，磬等屬石類，塤等屬土類，鼓等屬革類，琴、瑟等屬絲類，柷、敔等屬木類，笙、竽等屬匏類，管、簫等屬竹類。

八風指八方之風，即東北方的炎風、東方的滔風、東南方的熏風、南方的巨風、西南方的淒風、西方的飂風、西北方的厲風、北方的寒風。

黃鐘律呂即十二律，乃將一個八度分為十二個不完全相等的半音的一種律制。各律從低到高依次為黃鐘、大呂、太簇、夾鐘、姑洗、仲呂、蕤賓、林鐘、夷則、南呂、無射、應鐘。其中單數各律稱「律」，雙數各律稱「呂」，總稱「六律六呂」或簡稱「律呂」。

八卦有五行屬性，五聲也有五行屬性，二者有對應的關係。五聲對應的五行是：宮聲居中央，屬土；羽聲居北方，屬

水；徵聲居南方，屬火；角聲居東方，屬木；商聲居西方，屬
金。八卦對應的五行是：乾兌為金，震巽為木，離為火，坎為
水，坤艮為土。故五聲可與八卦相匹配：羽聲對應坎卦，徵聲
對應離卦，角聲對應震、巽二卦，商聲對應乾、兌二卦，宮聲
對應坤、艮二卦。

六律的陰律和陽律分別對應易之陰陽。奇數六律稱為陽
律，又稱為「六律」；偶數六律稱為陰律，又稱為「六呂」。「六
律六呂」陰陽相生，左右旋轉，能發出許多聲音，演奏起來可
以達到「律呂相諧」的音樂美。

八音與八卦亦可以相互匹配：金對應兌卦，石對應乾卦，
土對應坤卦，革對應坎卦，絲對應離卦，木對應巽卦，匏對應
艮卦，竹對應震卦。

八風與八卦同樣有相應的關係：東北風對應艮卦，東風對
應震卦，東南風對應巽卦，南風對應離卦，西南風對應坤卦，
西風對應兌卦，西北風對應乾卦，北風對應坎卦。

黃鐘律呂與乾坤兩卦的十二個爻位相對應：黃鐘對應乾
卦初九，林鐘對應坤卦初六，太簇對應乾卦九二，南呂對應坤
卦六二，姑洗對應乾卦九三，應鐘對應坤卦六三，蕤賓對應乾
卦九四，大呂對應坤卦六四，夷則對應乾卦九五，夾鐘對應坤
卦六五，無射對應乾卦上九，仲呂對應坤卦上六。

138. 中國傳統樂器如何體現易學象數理趣？

我國自古就是一個樂器藝術十分發達的國家，古人所發明的樂器多從《周易》所寓的易象、易數、易理中得到啟示，這裡以古琴為例作一說明。

古琴，又稱瑤琴、玉琴、絲桐和七弦琴，撥弦樂器，屬於八音中的絲，是中華民族傳統樂器的典範。漢代桓譚《新論》說：「八音之中，唯弦為最，而琴為之首。」[1] 古琴之音，音域寬廣，音色深沉悠長、淳和淡雅、清亮綿遠，尤為文人雅士所喜愛。古琴狀人情之思，達天地之理，充滿着易學象數理趣。

從象上說，古琴寓象有三：一是天地之象。古琴外形是一個弧形共鳴箱，琴面為拱弧形，象徵「天圓」；底板為平面，象徵「地方」。天圓地方，天上地下，象徵天地之道，又象徵陰陽和諧，符合《周易》「天尊地卑，乾坤定矣」之象。二是三才之象。古琴之音色有泛音、按音和散音三種，泛音象天，按音象人，散音象地，三音為天地人三籟，這與《易經》卦爻天、地、人密切相關，象徵天、地、人三才，合乎《繫辭下》「有天道焉，有人道焉，有地道焉」之象。三是《周易》之損卦卦象。古琴頭上有一條架弦的硬木如同山之高嶺，是為「嶽山」；琴

1　[漢]桓譚著，吳則虞輯校，吳受琚輯補，俞震、曾敏重訂：《桓譚〈新論〉》，北京：社會科學文獻出版社，2014年，第97頁。

底板中部有兩個音槽，稱作「軫池」。高山之下有深澤，上艮下兌，乃《周易》之損卦卦象，喻指彈琴可以損卻情慾，平和心靈，又合乎《損》卦之《大象》「懲忿窒慾」之義。

從數上說，古琴寓數亦有三：一是天文之數。古琴一般長三尺六寸五分，象徵一年有三百六十五天；琴面上有十三點琴徽，象徵十二個月及一個閏月。二是七日來復之數。古琴有七弦：一弦屬土為宮，二弦屬金為商，三弦屬木為角，四弦屬火為徵，五弦屬水為羽，六弦文聲主少宮，七弦武聲主少商。七弦各安其位而不相奪，又相互照應，彼此調和，彈奏起來，弦音往復迴繞，循環不已，取數於《周易》之《復》卦「反覆其道，七日來復」。三是五行之數。七弦中最初成型的是五根弦，象徵金、木、水、火、土五行。

第三節　傳統舞蹈的易學旨趣

139. 有人說《周易》之咸卦蘊藏着遠古性舞蹈的信息，如何評價？

「咸」，易學傳統解釋為「感」，有交感、感通、感應之意。《周易》之《咸》卦《象》曰：「咸，感也。」《咸》卦之象，上兌下艮，兌為澤，艮為山，澤卑在上，山高在下，澤水在上而滋潤山土，山澤相通，故《咸》卦象徵交相感應。又兌為少女，艮為少男，喻男女相互感應。荀子說：「《易》之《咸》，見夫

婦。」[1]《咸》卦以男女婚姻取象，主要講的是夫妻之道，進而比類自然界與人類社會的感應之道。《周易》經分上下，上經以《乾》《坤》開篇，先言天地；下經以《咸》卦為第一，首述男女。《乾》《坤》上應天地，下應男女，男女結合的家庭關係是人事之基礎，所以下經以《咸》開篇。韓康伯說：「《咸》柔上而剛下，感應以相與。夫婦之象，莫美乎斯。人倫之道，莫大乎夫婦。故夫子殷勤深述其義，以崇人倫之始，而不繫之於《離》也。先儒以《乾》至《離》為上經，天道也；《咸》至《未濟》為下經，人事也。」[2] 在長達兩千多年的易學發展歷程中，歷代易學家沿此傳統，主要以夫婦之道解釋《咸》卦之義。

　　20 世紀以來，一些學者在對《易經》之《咸》卦的解釋上出現了不同理解。如王明把「咸」解釋為「動」，他認為《咸》卦爻辭講的是：「一對少男少女相親相悅的民間故事⋯⋯本卦『咸』字，都作動詞用，就是『動』的意思。」[3] 劉正則認為：「全部《咸》卦卦爻辭取象體現了該時期殘留的性圖騰信仰所積澱

1　[戰國]荀子著，方勇、李波譯注：《荀子》，北京：中華書局，2015 年，第442 頁。

2　[魏]王弼、[晉]韓康伯注，[唐]孔穎達疏，郭彧匯校：《南宋初刻本周易注疏》，上海：上海古籍出版社，2014 年，第 795 頁。

3　王明：《〈周易·咸卦〉新解》，《中國哲學》第 7 輯，北京：生活·讀書·新知三聯書店，1982 年，第 252 頁。

成的生育巫術和求雨祭祀中的性舞蹈動作。」[1]

若將「咸」理解為「動」的意思，從爻辭「咸其拇」「咸其
腓」「咸其股」「咸其脢」「咸其輔、頰、舌」來看，諸爻爻辭是
根據連續的「從足到頭」的情節進行組織的，以此而論，有人
說《咸》卦蘊藏着遠古性舞蹈的信息，或可備一說。

140. 甚麼是「八卦舞」？如何產生與流傳的？其易學底蘊何在？

「八卦舞」是由舞、歌、樂、巫詞、咒語結合而成的傳統
舞蹈，其舞步以陰陽為綱紀、以九宮八卦方位為舞蹈行進線
路的標向，舞式呈八卦陣式。「八卦舞」之原型相傳來源於夏
禹，是他基於陰陽原理、八卦模式創造的一種在舉行祭祀時所
跳的舞蹈。後在此基礎上融合五行生剋、太極八卦陣、道教
義理和藝術成分，形成了道教「八卦舞」。在民間，村莊廟會、
迎神道場、打醮還願，會請道士跳「八卦舞」，以祈求神靈庇
佑，迎祥驅邪。跳「八卦舞」時，道士身着道袍，頭戴道冠，
手執龍角，配以巫辭咒語；其時，鑼鼓節奏明快、樂曲粗獷勁
雄、歌訣旋律跳蕩、舞姿自然奔放，展示出道教舞蹈的獨特魅
力。受道教「八卦舞」的影響，各地還演化出了五行八卦舞、
八卦鼓舞、八卦巫舞等舞蹈形式。

1　劉正：《周易發生學》，北京：中國環境科學出版社，1993 年，第 385 頁。

　　「八卦舞」的易學底蘊主要是陰陽原理和九宮八卦理論。

　　一是「八卦舞」基於陰陽原理。易學認為自然界的任何事物都有陰陽兩個方面，並在陰陽相推中產生變化，陰陽同根，互以相成。「八卦舞」基於陰陽變易學說，按照陽動陰靜、陽剛陰柔、陽開陰合的原則，通過舞蹈動作的順序、方向、力度、速度和幅度的結合與變化，及舞蹈節奏、韻律、構圖等來體現舞蹈的和諧韻律。在舞蹈行進過程中，按照陰陽和諧的理念，舞步須陰陽相推、剛柔相摩。就八卦的屬性而言，乾卦、震卦、坎卦、艮卦屬陽卦，坤卦、巽卦、離卦、兌卦屬陰卦。因此，為符合陰陽和諧原則，一般陰陽卦位要交替行進。當然，在舞蹈過程中，要求舞步鮮明輕快、靈動順暢，有時也會來回躍動於相同屬性的卦位上，此時，便以跳躍、旋轉等作為過渡，代表陰陽的調整和轉換。

　　二是「八卦舞」以九宮八卦方位為舞蹈行進線路的標向。古代按八卦性質配以方位，所配方位順序，分伏羲八卦方位（先天八卦方位）：乾南、坤北、離東、坎西、震東北、兌東南、巽西南、艮西北；文王八卦方位（後天八卦方位）：離南、坎北、震東、兌西、艮東北、巽東南、坤西南、乾西北。九宮即洛書與文王八卦方位的結合，是後天八卦圖中的八個方位加上中央。中宮之數為五，寄於坤宮。這樣，九宮依照次序便是：坎宮（正北）、坤宮（西南）、震宮（正東）、巽宮（東南）、中宮（寄於坤）、乾宮（西北）、兌宮（正西）、艮宮（東北）、

離宮（正南）。「八卦舞」原則上按照九宮順序行進，從坎宮起步，沿着坤、震、巽，而後回歸中宮；自中宮至乾、兌、艮、離，繞轉一周。之後再由離宮返回，依次繞行返歸坎宮。當然，在舞蹈過程中，為體現舞步的靈動多變和藝術效果，很多時候並不依九宮順序，而是隨意繞宮穿行，如有的跳法就是沿着乾、兌、艮、離、坎、坤、震、巽各宮而舞。

141. 中國古典舞蹈的構型與易學關係如何？近年來一些舞蹈演員以舞姿表現易學卦象，如何看待？

舞蹈的構型是指舞蹈的空間結構，由人的四肢、軀幹和頭部各種線條的運動變化所形成。中國古典舞蹈的構型與易學有着密切的關係，並主要體現在受《周易》陰陽和諧及太極圖圓道運動理念之影響，古典舞蹈呈現圓的構型。

易學審美注重陰陽和諧，而「太極圖」正是這一和諧理念的具體體現。「太極圖」呈黑白雙魚合抱形，象「太極」生陰陽兩儀。它形象地反映了「無往不復」「原始反終」的循環圓道運行規律，並展現了一種柔和流暢、靈動圓潤的形式美。後來「圓」成了圓滿的代名詞，其均衡、迴環的運動模式，體現了人與天地自然的和諧統一，「圓」發展成為中華民族重要的審美形態和藝術構架。

易學認為天的運行軌道呈圓形，人法地、地法天，地和人都應效法天道而行。中國古典舞蹈構型中「圓」的理念正是緣

此而生。我們在欣賞古典舞蹈時，可以發現雖然舞蹈走向各不相同，舞蹈動作也是曲折多變，但如果細細觀察，每個舞蹈動作之間多是以圓為邏輯進行連接的。如腳在踝關節處勾撇繃、手在腕關節處上盤下盤等等，多是在圍繞一個「圓」運動。在舞蹈的整體構型上，也是通過舞蹈者身體動作的圓起、圓行、圓止來完成「劃圓運動」，可謂「圓中生萬變，萬變不離圓」。這也使得古典舞蹈的整個表演動作渾然天成，充滿着飽和感。

　　近年來，隨着易學的勃興，一些舞蹈演員以舞姿來表現易學卦象，可以說這既是舞蹈的創新，也是易學傳播形式的一種創新，實現了易學與舞蹈的相互注解、相互增益。

　　《周易‧繫辭上》說：「古者包犧氏之王天下也，仰則觀象於天，俯則觀法於地，觀鳥獸之文與地之宜，近取諸身，遠取諸物，於是始作八卦，以通神明之德，以類萬物之情。」乾、坤、震、巽、坎、離、艮、兌八個經卦兩兩相重組成六十四別卦，比類宇宙和人世間的一切事物。《周易‧說卦》指出八卦的卦德：「乾，健也。坤，順也。震，動也。巽，入也。坎，陷也。離，麗也。艮，止也。兌，說也。」又將八卦同身體的八個部位聯繫起來：乾為首，坤為腹，震為足，巽為股，坎為耳，離為目，艮為手，兌為口。在舞蹈表演中，演員可以靈活地取象比類，根據八卦卦德屬性，以各種動作組合來表現六十四卦。如睽卦，其卦象是下兌上離，離為火在上，兌為澤在下，水流濕，火就燥，水火不相容，象徵違背、不同之意。

舞蹈時，可以將左右手呈上下姿勢，位於上方的手向上運動，位於下面的手向下運動，表示上下相違，這樣就構成了睽卦的卦象。以舞蹈動作來表現卦象，在表達卦象的過程中，舞者可以更為直接地體驗身心的變化、感受機體能量的流動、察覺內在情感的發生，也會更加深刻和清晰地理解易學卦象。

第十六章　易學與現代科學

第一節　易學與現代數學

142. 甚麼是數學「二進制」？

「二進制」是計算機技術中廣泛採用的一種數制，二進制所需要的記數的基本符號只有兩個，即 0 和 1。二進制數據就是用 0 和 1 兩個數碼來表示的數。用計算機科學的語言，二進位制的一個數位稱為一個比特（bit），8 個比特稱為一個字節（byte）。因為它只使用 0、1 兩個數字符號，非常簡單方便，易於用電子技術實現。

1848 年英國數學家布爾（George Boole）創立的布爾邏輯代數，為現代二進制計算機的出現鋪平了道路。布爾利用二進制符號表示邏輯中的「邏輯真」與「邏輯假」等概念，通過建立一系列運算規則來研究邏輯問題，奠定了計算機理論的數理邏輯基礎。

143. 萊布尼茨對數學「二進制」有何貢獻？

萊布尼茨（Gottfried Wilhelm Von Leibniz，1646—1716，又譯萊布尼兹）是德國著名的數學家和哲學家，拓撲學的提出者，與牛頓各自獨立發明微積分，研究領域涉及數學、哲學、邏輯學和神學等諸多領域，被譽為「17 世紀的亞里士多德」。萊布尼茨對中國傳統文化抱有極大的熱忱和高度的讚賞，是最早且最為廣泛深入地了解中國文化的歐洲人之一，他撰寫了有關二進制的論文，對二進制的表示及運算進行了充分的討論。1696 年，他向奧古斯特公爵介紹了二進制；1697 年 1 月，萊布尼茨還特地製作了一個紀念章獻給公爵，上面刻寫着拉丁文：「從虛無創造萬有，用一就夠了。」

萊布尼茨在《皇家科學院紀錄》上所發表的文章，標題為《二進制算術的解說》，副標題為「它只用 0 和 1，並論述其用途以及伏羲氏所使用的古代中國數字的意義」。1716 年，他又發表了《論中國的哲學》一文，專門討論八卦與二進制，指出二進制與八卦有共同之處。需要指出的是，萊布尼茨的二進制算術並不等同於布爾代數的二進制數理邏輯。

144. 萊布尼茨的數學「二進制」與《周易》關係如何？今人有何評論？

20世紀90年代，學術界針對「科學易」展開了討論。李申《〈周易〉熱與「科學易」》針對《周易》與二進制之間的關係問題提出：「先天圓圖和二進制的關係問題，近年來已有一些文章，依據確鑿的歷史材料，證明不是萊布尼茨根據先天圓圖發明了二進制，而是萊布尼茨發明了二進制以後才見到了先天圓圖。萊布尼茨根據二進制來理解先天圓圖，說先天圓圖中已包含了他發明的東西。這是萊布尼茨的理解。然而有些研究者先把萊布尼茨的理解當作了先天圓圖的本義，進而又說萊布尼茨根據先天圓圖發明了二進制。」[1]

郭書春《古代世界數學泰斗劉徽》也持類似觀點：「中國有所謂《周易》創造了二進制的說法，至於萊布尼茲（按，即「萊布尼茨」）受《周易》八卦的影響創造二進制並用於計算機的神話，更是廣為流傳。事實是，萊布尼茲先發明了二進制，後來才看到傳教士帶回的宋代學者重新編排的《周易》八卦，並發現八卦可以用他的二進制來解釋。」[2] 梁宗巨《數學歷史典故》[3]

1　李申：《〈周易〉熱與「科學易」》，《周易研究》1992年第2期。

2　郭書春：《古代世界數學泰斗劉徽》，濟南：山東科學技術出版社，1992年，第461頁。

3　梁宗巨：《數學歷史典故》，瀋陽：遼寧教育出版社，1995年。

對此進行了更為詳盡的考察。孫小禮《萊布尼茲與中國文化》[1]一書介紹了萊布尼茨熱心推動中西文化交流所發揮的重要作用，分析澄清了萊布尼茨對中華文化的誤讀和人們對萊布尼茨的一些誤傳。

　　比利時國際理學研究所的兩位學者胡陽、李長鐸發表了《萊布尼茲發明二進制前沒有見過先天圖嗎？—— 對歐洲現存 17 世紀中西交流文獻的考證》[2]，詳盡論述了萊布尼茨在發表二進制論文前確已接觸過《易經》八卦先天之圖，通過對歐洲現存 17 世紀中西交流文獻的查閱和考證，否定了萊布尼茨在發明二進制以後才見到先天圖的說法，指出斯比塞爾所編著的《中國文史評析》一書是考證萊布尼茨發明二進制的關鍵性的文獻，而先天圖在萊布尼茨發明二進制之前，已在 1660 年被斯比塞爾稱為二進制。萊布尼茨在去世的那一年，即 1716 年，於《致德雷蒙先生的信 —— 論中國的自然神教》（*Lettre à M. de Rèmond sur la théologie naturelle des Chinois*）中說明了 0 和 1 的二進制建立的過程。其中，萊布尼茨指出，他的「0 與 1 二進制」首先來源於伏羲先天八卦圖。

　　在《周易》的八卦中，如果把陰爻看作 0，把陽爻看作 1，所有的卦象都可看成 0 和 1 的排列組合。很顯然，八卦中蘊

1　孫小禮：《萊布尼茲與中國文化》，北京：首都師範大學出版社，2006 年。

2　胡陽、李長鐸：《萊布尼茲發明二進制前沒有見過先天圖嗎？—— 對歐洲現存 17 世紀中西交流文獻的考證》，《周易研究》2004 年第 2 期。

含着二進制的萌芽。目前在德國圖林根著名的郭塔王宮圖書館（Schlossbibliothek zu Gotha），仍保存有一份萊布尼茨的手稿，標題寫着「1 與 0，一切數字的神奇淵源」，顯然，萊布尼茨對於二進制的起源進行了神學意義上的解釋。

第二節　易學與現代物理學

145. 尼爾斯・玻爾獲得諾貝爾物理學獎的標誌性成就是甚麼？

2003 年 12 月北京銀冠電子出版有限公司發行的《諾貝爾物理獎》第 28—29 頁收錄了 R. L. 韋伯在其所著《諾貝爾物理學獎獲得者：1901—1984》一書中對尼爾斯・玻爾物理學成就的評價：「尼爾斯・玻爾的名字是與下面兩個原理分不開的。一個是『對應原理』（1916 年），它是說原子的量子力學模型在線度很大時，必然逐漸趨於經典力學；另一個是『並協原理』（1927 年），它指的是在不同實驗條件下獲得的有關原子系統的數據，未必能用單一的模型去解釋，電子的波動模型就是對電子的粒子模型的補充。」

146. 為甚麼說尼爾斯・玻爾的「互補原理」與《周易》的「陰陽學說」不謀而合？

「互補原理」（又稱「並協原理」），是丹麥物理學家尼爾

斯‧玻爾為了解釋量子現象的主要特徵 —— 波粒二象性而提出的哲學原理，認為微觀粒子同時具有波動性與粒子性，而這兩個性質是相互排斥的，不能用一種統一的圖像去完整地描述量子現象，但波動性與粒子性對於描述量子現象又是缺一不可的，必須把兩者結合起來，才能提供對量子現象的完備描述，量子現象必須用這種既互斥又互補的方式來描述。這個原理是玻爾對量子力學中「不確定性原理」作出的哲學解釋，也是哥本哈根學派的基本觀點。這種觀點與《周易》的「陰陽學說」可謂不謀而合，因為《周易》的「陰陽學說」在本質上就是看到了不同事物的相互排斥、相互協調又相互補充，彼此具有一致性。

147. 丹麥國王授予尼爾斯‧玻爾的榮譽勳章上的太極圖案有何含義？

由於尼爾斯‧玻爾對量子理論的卓越貢獻，丹麥國王破格授予他榮譽勳章。這幅含有中國古代「陰陽魚太極圖」的榮譽勳章圖案載於 P. 羅伯森所著《玻爾研究所的早年歲月（1921—1930）》。在勳章圖案的選擇上，玻爾採用了他親自設計的太極圖族徽，他以太極圖中的「陰陽魚」所代表的既對立而又互為補充的觀念來表達他的核心思想 —— 互補關係（或稱「並協原理」）。太極圖族徽上方的拉丁文箴言是 CON-TRARIA SUNT COMPLEMENTA，即「互斥即互補」，或譯為「對立者

是相互補充的」。八卦太極圖所描述的陰陽消長關係，就是對這種狀態的形象化描述。

不過，李仕澂《玻爾「並協原理」與〈八卦太極圖〉》一文認為，或許尼爾斯‧玻爾 1937 年訪問中國時沒有看到過或得到一幅真正的八卦太極圖，因而錯誤地把中國民間流傳的陰陽魚圖案畫當作太極圖鐫作族徽。[1]

第三節　易學與科技革命

148. 隨着工業革命的出現，我國學者是如何從科學技術角度認識《周易》的？

隨着工業革命的到來，科學技術的進步極大地影響了世界發展的進程，並影響到人們日常生活的方方面面。自然科學開始出現相對論、量子力學等與牛頓科學概念有很大差異的新理論、新概念。特別是 20 世紀以來，現代科學體系逐步發展建立起來，科技領域發生了偉大變革。信息論、控制論、系統論、協同論、生命科學、宇宙學等理論日趨完善，原子能技術、計算機技術和空間技術獲得了空前的發展。科學技術逐步成為生產力諸要素中的主導要素，尤其是第二次世界大戰以後，更是成為現代經濟發展中最主要的驅動力。

1　李仕澂：《玻爾「並協原理」與〈八卦太極圖〉》，《周易研究》1994 年第 4 期。

近代以來，一批學者如杭辛齋、沈仲濤、薛學潛、丁超五等陸續撰寫了許多著述，提出《周易》中早就有了相對論、量子論等現代偉大的科學發現和技術發明，以現代科學比附《周易》，試圖引入西方自然科學來解釋《周易》。其他一些著名學者如梁啟超把《周易》稱為「數理哲學」，馮友蘭把周易哲學稱為「宇宙代數學」[1] 等，後來更有人把《周易》的貢獻擴大到統一場論、遺傳理論等領域。

149.「生物遺傳密碼表」和六十四卦存在對應關係嗎？

1973 年法國學者 M. 申伯格出版了《生命的秘密鑰匙：宇宙公式、易經和遺傳密碼》，首次闡明了六十四個生物遺傳密碼與六十四卦之間的對應關係。

1988 年楊雨善提出了通用密碼子八卦圖，以陽爻代表強型核苷 C 和 G，陰爻代表弱型核苷 U 和 A，六十四個密碼子正好平均分成八組，與中國古代《周易》的八卦相吻合。之後還有人探討了六十四卦卦義與生物遺傳密碼的作用之間的關係，認為生命體細胞的分解、組合過程同樣是與

1　1984 年馮友蘭教授在致第一屆中國《周易》學術研討會的賀信中提出了「周易是宇宙代數學」的命題，這一論斷後來寫入《孔丘、孔子、如何研究孔子》一文，刊登於 1985 年 1 月 19 日的《團結報》上，《新華文摘》1985 年第 4 期（1985 年 4 月 25 日出版）作了全文轉載。

《周易》一致的。

由於六十四卦與二進制所內含的對應關係，控制生物體中 DNA 雙螺旋結構自我複製的遺傳密碼表與六十四卦建立起聯繫就不難理解了。由此，有人斷言，《周易》是中國古代賢哲依據生命現象創造的一個用嚴密的數理邏輯語言表達宇宙基本結構和普遍規律的「科學體系」[1]。或者說，《周易》是一個關於生命、關於宇宙的二進制數學模型。而「先天八卦次序」是生物體中 DNA 雙螺旋結構自我複製的二進制數學模型。

150. 如何認識《周易》「製器尚象觀」的歷史作用以及當代「科學易」的研究趨向？

《周易》所包含的「製器尚象觀」對中國傳統科技具有深刻的影響。「製器尚象」主張取萬物之象構製器具以行聖人之道，是易學應用溝通形而上和形而下的橋樑。《周易·繫辭上》說：「易有聖人之道四焉：以言者尚其辭，以動者尚其變，以卜筮者尚其占，以製器者尚其象。」作為一般的世界觀和方法論，《周易》曾經廣泛地影響了中國古人的思想，當然也影響了中國古代科學家的思想。例如，唯象思維是《周易》獨特的思維方式，八卦、六十四卦中涵蓋了天地萬物的各種物象，《周易》正是通過取象比類的思維方式把握事物的運行規律，認識事物

1　苗孝元、姜在生：《易之道》，濟南：齊魯書社，2002 年，第 2 頁。

的運行規律。唯象思維是一種形象思維，《周易》的唯象思維對中國古代科技思維的發展更是起到無可替代的重大作用。中國古代的傳統科學體系，正是以《周易》的思想作為理論基礎的。

此外，《周易》中的全息思維模式所建立的「天人合一」「三才一體」的宇宙觀，使得古人更加自覺地運用聯繫的、發展的、全面的眼光來研究宇宙、觀察世界，在思考問題時避免了重部分、輕整體，重分析、輕綜合，重孤立、輕聯繫的形而上學思維模式的消極影響。

自西漢晚期開始，古文經學興起，人們重新排列了「六藝」的次序，把《周易》提到首要的地位。《周易》的地位十分崇高，人們習慣於引經據典尋找理論根據，天文曆算攀附《周易》更是成為一時風氣。例如漢代劉歆把《三統曆》中的日法、章法、月實等數據，都說成根據大衍之數推算的結果，以此來抬高自己所創曆法的地位。劉歆此舉不僅無益於解釋《周易》，更無益於天文學的發展，所以不斷遭到後人的批評。

反觀當前，所謂「科學易」的研究，多是將現代科學理論與《周易》相比附、印證，認為《周易》中蘊藏着許許多多的現代科學思想和理論。例如，有人「發現」了「化學元素週期表」與《周易》六十四卦的組合規律相吻合；有人說《周易》原理與量子力學「雙波包本體論」存在相似性；有人用「太極」解釋物理學的「黑洞理論」，用陰陽魚類比物理學的「暗物質」「暗

能量」；等等。事實上，這種比附不過是現代人試圖將現代科學的理論和觀點注入《周易》這部古老的經典之中。

　　1993 年，武漢出版社出版了董光璧《易學科學史綱》，該書認為應當將「科學易」與「易科學」區分開來。所謂「科學易」，是「以科學治易學」，是易學家的工作，屬於解釋學的範疇。所謂「易科學」，是「以易學治科學」，是科學家的工作，屬於科學的範疇。兩者的區別是「理解」與「創造」之別：「以科學治易學」作為易學研究的一種方式，可以隨着科學的發展，不斷創新對《周易》的理解而使易學得以發展，是保存和發展易學的一種好方法；而「以易學治科學」的目的是藉易學中某種觀念或方法的啟迪進而達到新知識的創造，難度要大很多。

　　2001 年，齊魯書社出版了廖名春《〈周易〉經傳與易學史新論》，該書認為「科學易」的研究對探索人類早期科學思維的特點以及中國古代科學發展的道路及其利弊，有重要意義；同時對於揭示現代科學曾經和仍將可以從中國古代科學思維中獲取營養，也有重要意義。當然，我們也應注意，不能用後人利用《周易》資料和受《周易》影響所發揮的思想方法來代替《周易》本身的思想，不能把易學的應用當作易學的本體。

後記

　　《周易》在中國文化傳統中一向佔有很高地位。古時候倡導經學，先是有《詩》《書》《禮》《易》《春秋》，號稱「五經」；後來，又從《禮記》中析出《大學》《中庸》兩篇，與《論語》《孟子》合起來，稱作「四書」。從宋代開始，「四書」與「五經」成為儒家經學的主要文本。讀書人要入仕，得讀「四書」「五經」。在這九部經典中，《易》是最為特殊的，它不僅有文字系統，還有卦爻符號系統。無論從形式上看，還是從內容上看，《易》都是別具一格的。它既有宏觀的宇宙論的思想觀念，又有「天地人」相對應的管理智慧；既有修身養性的法門，又有指導工藝創作的象數符號推演，具有方法論的指導意義。故而，《易》被當作「群經之首」，受到先民們的尊崇。千百年來，先民們研《易》用《易》，於是就形成了「易學」，各種注疏之作、推演之作，如雨後春筍，層出不窮。

　　在當代社會，易學研究引起人們極大的興趣。為了滿足

社會上學習與研究《周易》的需要，學術界陸續有人編纂了《周易概論》《周易入門》之類著述。這些著述給讀者提供了方便，也讓人們受益良多。但因為歷史的原因，以往關於「易學」的入門書在《周易》與中國文化諸多側面關係的問題上論述不夠。鑑於此，我們根據上課過程中遇到的問題，組織了一個專門的寫作組，在借鑑學術界多年來研究成果基礎上，用了三年時間完成了這部書稿的寫作任務。

這部書稿，由我提出基本構想、基本觀點和大綱。期間，廈門市易學研究會前秘書長李傳快教授與我的門生周克浩博士參加草擬初期部分選題，再匯總到我這裡，進行綜合調整，最終形成 150 問。而後，按照寫作組每個人的專長，分工撰寫文稿。具體分工如下：

導言：詹石窗（四川大學教授）與宋野草（博士，雲南民族大學副教授）執筆；第一章：楊燕（博士，四川師範大學中國哲學與文化研究所教授）執筆；第二章：連鎮標（博士，福建師範大學易學研究所教授）與連宇（閩江學院附中副校長、高級教師）執筆；第三章、第六章、第九章、第十一章：李育富（博士，重慶交通大學馬克思主義學院副教授）執筆；第四章、第十二章、第十五章：周克浩（博士，中共廈門市委組織部四級調研員）執筆；第五章、第八章、第十六章：雷寶（博士，大理大學講師）與詹石窗執筆；第七章：曲豐（博士，廈門工學院講師）執筆；第十章：李玉田（廈門市易學研究會常

務理事，廈門人聯網文化科技有限公司董事長）執筆；第十三章：宋野草執筆；第十四章：陽志輝（博士，廣西師範學院副教授）執筆。

本書的寫作，從 2014 年啟動工作計劃，到 2017 年上半年完成全部撰稿任務。在這個過程中，有的作者速度快些，有的慢些。我基本上是採取順其自然的方式，沒有特別催促。大家陸陸續續把稿子發送給我。每接到一章，我就先梳理格式、斟酌行文，再統一體例，進行加工，包括引文出處的核對、頁下注格式的調整、正文句子的修訂。為了使書稿盡可能完善，遇到引文出處未落實或者不太規範的，我就請在讀的博士生提供幫助。由於撰稿人引用的側重點有別、習慣不同，部分文獻的版本並不一致，這裡不作統一調整。參加文稿校對、引文核查的博士生有何欣、胡瀚霆等。

本書的編纂，得到了許多朋友的幫助。廣西壯族自治區道教協會副會長陳應偉道長提供了祖上傳承的「先天八卦、後天八卦一體圖」之木雕影件，此乃道門稀罕文物，其最大特點是八卦之「卦口」由外朝內，與北宋高道陳摶易學一脈相承，體現了「收心、聚氣、延年」的修行指向，徵得陳應偉道長的同意，選擇它作為本書封底圖案；四川文化藝術學院副校長、湯用彤國學院院長雷原教授提供不少關於《易經》與中醫相關研究的資料信息以及他本人的研究心得，為本書的修改完善開拓了新的視野；四川大學副校長晏世經教授、四川大學社會科

學研究處傅其林處長非常關心我們的研究計劃，四川大學中華
文化研究院、四川大學道教與宗教文化研究所在工作條件上
給予大力支持。在此一併致謝。

　　書稿交到出版社之後，編輯艾英認真審讀，提出了一些修
改意見。按照出版社要求，我們於 2019 年暑假期間對書稿再
作修改。為了加快進度，我特邀門生曾勇副教授（江西師範大
學馬克思主義學院）前來廈門，一起看稿、商討推敲，他實際
上擔當了主編助理的工作。由於易學本來就存在許多有爭議
的地方，加上各個分支本有的神秘性，敘述起來特別不容易，
缺點、錯誤在所難免，殷切期盼廣大讀者批評指正。

詹石窗

謹識於四川大學老子研究院

2017 年 5 月 24 日初稿

2020 年 4 月 21 日定稿

責任編輯	梅　林	
書籍設計	彭若東	
責任校對	江蓉甬	
排　　版	肖　霞	
印　　務	馮政光	

書　　名	周易入門 150 問（下）
叢 書 名	國學基礎
主　　編	詹石窗
出　　版	香港中和出版有限公司 Hong Kong Open Page Publishing Co., Ltd. 香港北角英皇道 499 號北角工業大廈 18 樓 http://www.hkopenpage.com http://www.facebook.com/hkopenpage http://weibo.com/hkopenpage Email: info@hkopenpage.com
香港發行	香港聯合書刊物流有限公司 香港新界荃灣德士古道 220-248 號荃灣工業中心 16 樓
印　　刷	陽光（彩美）印刷有限公司 香港柴灣祥利街 7 號萬峯工業大廈 11 樓 B15 室
版　　次	2022 年 8 月香港第 1 版第 1 次印刷
規　　格	32 開（147mm×210mm）304 面
國際書號	ISBN 978-988-8812-49-3

© 2022 Hong Kong Open Page Publishing Co., Ltd.
Published in Hong Kong

本書由北京大學出版社有限公司授權本公司在中國內地以外地區出版發行。